문장부터 시작하는 독해

문장부터 시작하는 독해

발　　행 | 2024년 07월 15일
저　　자 | 김소진 외
펴낸이 | 한건희
펴낸곳 | 주식회사 부크크
출판사등록 | 2014.07.15.(제2014-16호)
주　　소 | 서울특별시 금천구 가산디지털1로 119 SK트윈타워 A동 305호
전　　화 | 1670-8316
이메일 | info@bookk.co.kr

ISBN | 979-11-410-9507-9

www.bookk.co.kr

문장부터
시작하는
독해

김소진 외

CONTENT

저자 소개

김소진 / <문장부터 시작하는 독해> 대표 저자, 국어교재연구 프로젝트팀 2팀장
- 이화여자대학교 국어국문학과
- 에듀메이트 학원 원장, 국어/논술
- 저) <바보야 문제는 어휘야>

김동완 / 국어교재연구 프로젝트팀 총괄팀장
- 연세대학교 국어국문학과, 정치외교학 복수전공, 교직 이수 과정
- 연세대학교 국어국문학과 학석사 연계 과정
- 에듀메이트 학원 대표원장, 국어/논술
- 저) <바보야 문제는 어휘야>

송요찬 / 국어교재연구 프로젝트팀 1팀장
- 연세대학교 국어국문학과
- 前) 시대인재 국어 강사 연구실 소속

김라래 / 국어교재연구 프로젝트팀 1팀
- 연세대학교 언론홍보영상학부, 국어국문학 복수전공

김은수 / 국어교재연구 프로젝트팀 2팀
- 이화여자대학교 국어국문학과, 교직 이수 과정

남예인 / 국어교재연구 프로젝트팀 2팀
- 이화여자대학교 국어국문학과

최민규 / 국어교재연구 프로젝트팀 1팀
- 연세대학교 불어불문학과

들어가며

안녕하세요. <문장부터 시작하는 독해> 대표 저자 김소진입니다.

저희 7명은 수능 국어를 위한 문해력, 독해력 상승 과정에서 문장 독해의 중요성도 강조되어야 한다고 생각하였습니다.

물론, 문장 단위의 공부를 위한 이 교재를 제작하면서 역설적으로 문장 단위를 넘어선 문단 단위 더 나아가 문장과 문장, 그리고 문단과 문단 사이의 관계와 구조를 파악하는 것이 중요하다는 점도 한 번 더 깨닫게 되었습니다. 다만 중요한 것은 이러한 전체적인 글의 구조를 파악하는 것은 한 문장의 완전한 독해에서부터 시작된다는 것입니다.

따라서 먼저 이 교재를 바탕으로 여러 방식으로 제시되는 문장들을 받아들이는 방법을 연습하며 체화하셔야 합니다. 그 이후에 글 전체를 바르게 독해하는 방법에 대해 공부하는 것을 목표로 이 교재를 학습해나가길 바랍니다.

2024년 7월

김소진 씀

대립항 : '대립항'이란 의견이나 처지, 또는 속성 등이 서로 맞서거나 반대되는 사항을 일컫는 용어이다. 인문예술, 사회문화, 과학기술 모든 분야에 걸쳐 나오는 문장 구성 방식으로, 어떠한 두 학자의 이론 혹은 제시된 두 물체, 원리의 특성을 비교·분석하고자 할 때 주로 사용된다. 대립항은 서로 다른 두 가지 개념의 특성 중 공통점과 차이점을 찾아 분석할 수 있게 해 주는 장치이다. 무엇과 무엇이 대립되거나 유사한지, 무슨 특성으로 인해 대립되는지 명확히 파악해 정리하는 습관을 기르자.

1) 일반적으로 2차적 저작물은 원저작물과 시장적 경쟁 관계에 있다고 보지만, / 독립저작물은 원저작물과 시장적 경쟁 관계에 있다고 보지 않는다. [고1 2022년 9월 16-21]

→ 원저작물과의 시장적 경쟁 관계 유무를 기준으로 '2차적 저작물(있음) ↔ 독립 저작물(없음)'을 나누고 있다. 이러한 단순한 대립항은 '~지만', '반면', '~와 달리' 등의 뒤에 오는 말이 앞의 내용과 상반됨을 의미하는 표지가 문장에 포함된 경우가 많다.

2) 이렇듯 전통적 서양철학에서 기억은 긍정적인 능력으로, / 망각은 부정적인 능력으로 인식되어 온 것이다. [고2 2021년 9월 26-30]

→ 위 문장은 앞선 문장과 달리 대립항의 의미를 부여하는 표지 없이 대립항을 보여 주는 경우이다. '긍정'과 '부정'이라는 대립되는 특성을 기준으로 '기억(긍정) ↔ 망각(부정)'을 구분했다.

3) 이덕무는 청 문물의 효용을 도외시하지 않고 박제가와 마찬가지로 물질적 삶을 중시하는 이용후생에 관심을 보였다. [2021학년도 수능 34-37]

→ 한편, 대립항을 서술하는 문장 중에는 종종 차이점을 제시하는 것이 아니라 공통점을 제시하는 경우도 존재한다. 이용후생에의 관심을 기준으로 '이덕무(있음) = 박제가(있음)'을 보여준다. 이때, 일반 대립항처럼 공통점을 제시하는 대립항 문장에서도 '~와 마찬가지로', '~와 유사하다' 등의 앞 내용과 뒤 내용이 비슷함을 의미하는 표지가 드러난다.

현실 세계의 실재를 있는 그대로 재현하고자 했던 전통회화와 달리 현대회화는 변형과 과장을 통해 실재와는 다른 방식으로 세계들을 조합해 나간 것이다. [고1 2023년 9월 21-26]

회화는 캔버스 위에 물감으로 색과 형태를 드러낸 가시적 존재지만, 회화의 의미가 창작자의 주관이나 감상자의 주관에 따라 다양하게 형성된다는 점에서 비가시적 존재이기도 하다. [고1 2023년 9월 21-26]

작곡가 바레즈는 분절된 몇 개의 음만을 표현할 수 있는 일반적 악기와 달리, 사이렌이 음과 음 사이의 분절되지 않은 무한한 음을 낼 수 있는 일상적 사물이라는 점에 주목하여 사이렌으로 음악을 표현했다. [고1 2023년 9월 21-26]

법률행위의 취소가 확정되면 법률상의 효력이 무효와 같아지지만, 취소 사유가 존재하더라도 취소권을 가진 특정인이 취소를 주장할 때만 그 법률행위의 효력이 없어질 수 있다는 점에서 무효와 차이가 있다. [고1 2023년 9월 30-33]
→ '법률행위의 취소'와 '무효'의 공통점(법률상의 효력)과 차이점(취소권을 가진 특정인이 취소를 주장할 때만)을 구분한다.

이미지에 DCT를 적용하면 주변 픽셀과 색상이나 밝기 차이가 적은 픽셀은 낮은 주파수 값으로, 경계선 등 주변 픽셀과 색상이나 밝기 차이가 큰 픽셀은 높은 주파수 값으로 나타난다. [고1 2023년 9월 34-38]

올리고당과 설탕은 모두 탄수화물인데, 올리고당은 설탕과 달리 위에서 분해되지 않고 상대적으로 탄수화물 분자 구조가 복잡하여 설탕보다 소화와 흡수가 느리다. [고2 2023년 9월 8-10]

정정 보도를 청구하는 피해자는 원 보도가 허위임을 입증해야 한다. 반면 반론 보도는 원 보도의 진위 여부와 상관없이 청구할 수 있다. [고2 2023년 9월 20-25]

일반적으로 2차적 저작물은 원저작물과 시장적 경쟁 관계에 있다고 보지만, 독립 저작물은 원저작물과 시장적 경쟁 관계에 있다고 보지 않는다. [고1 2022년 9월 16-21]

프롬은 인간과 다른 동물을 구분 지을 수 있는 특성이자 인간의 본질을 이성이라고 파악했다. [고1 2022년 9월 22-25]
    → 인간과 동물은 '이성'이라는 개념으로 대립된다.

이러한 숙향의 서사는 가부장제 사회에서 열세에 놓인 여성의 현실적 상황을 반영한 것이다. 반면 이선의 서사는 입신양명이라는 당대 남성의 이상적 소망을 형상화한 것이다. [고1 2022년 9월 39-42]

전통 철학은 의식과 신체는 독립되어 있고 의식이 객관적 세계를 인식한다고 보았는데, '메를로퐁티'는 이를 비판하며 신체를 통해 세계를 지각할 수 있다고 말한다. [고2 2022년 9월 33-37]

제한능력자 측에서 취소권을 행사할 경우 법률행위는 처음부터 무효인 것으로 보지만, 행위를 취소하지 않을 경우에는 그 법률행위에 대해서는 그대로 효력이 유지된다. [고1 2021년 9월 16-19]

변죽은 작고 높은 소리가 나는 반면, 복판은 크고 낮은 소리가 나기 때문에 연주 상황에 어울리는 소리가 나도록 치는 것이다. [고1 2021년 9월 24-26]

초기 인류학자들은 이러한 포틀래치라는 관습을 자신의 재산을 대가 없이 자발적으로 주는 일반적인 증여로 파악하고, 위신을 얻기 위해 재산을 탕진하는 비합리적인 생활양식으로 이해했다. 하지만 모스와 레비스트로스 같은 후대 인류학자들은 포틀래치를 호혜적 교환 행위로 바라보았다. [고1 2021년 9월 30-33]

호혜적 교환이란 일반적인 경제적 교역, 즉 사물의 가격을 측정하여 같은 값으로 교환하는 행위와는 달리, 돌려받을 대가나 시기를 분명하게 정하지 않고 사물을 교환하는 방식을 말한다. [고1 2021년 9월 30-33]

친환경차에는 전기차, 수소전기차, 하이브리드차가 있는데 이중 전기차와 수소전기차는 전기에너지를 운동에너지로 변환하여 주는 모터만으로 구동되고, 하이브리드차는 모터와 함께 내연기관차처럼 연료를 연소시킬 때 발생하는 열에너지를 운동에너지로 바꿔 주는 엔진을 사용하여 구동된다. [고1 2021년 9월 38-41]

연료전지는 저장된 수소와 외부로부터 공급되는 공기 속 산소가 만나 일어나는 산화·환원 반응 과정을 통해 전기에너지를 생성하는데, 산화란 어떤 물질이 전자를 내어 주는 것을, 환원이란 전자를 받아들이는 것을 의미한다. 이렇게 물질이 전자를 얻거나 잃는 것을 이온화라고도 하는데 물질이 전자를 얻으면 음이온이, 전자를 잃으면 양이온이 된다. [고1 2021년 9월 38-41]

→ '산화'와 '환원'의 대립, 이온화 내에서 '음이온'과 '양이온'의 대립으로 두 가지 대립항이 드러난다.

헌법의 최고규범성에도 불구하고 헌법은 규범 체계상 하위에 있는 법규범들과 달리 스스로를 보장하지 않으면 안 된다. 다른 법규범들에는 상위의 법규범인 헌법이 있을 뿐만 아니라 국가 권력이라는 절대적인 강제 수단이 있어 그 효력이 보장되지만 헌법은 그렇지 못하다. [고2 2021년 9월 20-25]

이렇듯 전통적 서양철학에서 기억은 긍정적인 능력으로, 망각은 부정적인 능력으로 인식되어 온 것이다. [고2 2021년 9월 26-30]

아세틸콜린의 분비가 억제되거나 아세틸콜린이 아세틸콜린 수용체와 결합하지 못하면 신경의 흥분이 억제되어 근육은 이완되지만 아세틸콜린이 과잉 분비되면 그 반대 현상이 일어난다. [고2 2021년 9월 35-38]

CPU는 처리 속도가 매우 빠른 반면, 주기억장치의 처리 속도는 상대적으로 느리다. [고1 2020년 9월 32-36]

캐시 기억장치는 CPU 내에 또는 CPU와 주기억장치 사이에 위치한 기억장치로 주기억장치보다 용량은 작지만 처리 속도가 매우 빠르다. [고1 2020년 9월 32-36]

한계비용이 총비용 중 가변비용에만 영향을 받는 것과 달리, 평균비용은 고정비용과 가변비용에 모두 영향을 받는다. [고2 2020년 9월 16-21]

생명체와 달리, 바이러스는 세포가 아니기 때문에 스스로 생장이 불가능하다. [고2 2020년 9월 33-36]

핵산이 DNA일 경우 숙주 세포에 있는 효소를 그대로 이용하고, 반면 RNA일 경우 숙주 세포에 있는 효소를 이용해 자신에 맞는 효소를 합성한다. [고2 2020년 9월 33-36]

기준 금리는 국가가 정책적인 차원에서 결정하는 금리로, 한 나라의 금융 및 통화 정책의 주체인 중앙은행에 의해 결정된다. 반면 시중 금리는 기준 금리의 영향을 받아 중앙은행 이외의 시중 은행이 세우는 표준적인 금리로, 가계나 기업의 금융 거래에 영향을 미친다. [고1 2023년 3월 19-22]

그는 무의식의 심연에는 '원초아'가, 무의식에서 의식에 걸쳐 '자아'와 '초자아'가 존재한다고 보았다. [고1 2023년 3월 28-33]

이러한 프로이트의 이론은 기존의 이론에서 간과한 무의식에 대한 탐구를 통해 인간 이해에 대한 지평을 넓혔다는 평을 받고 있다. [고1 2023년 3월 28-33]

바이러스를 배양하여 접종하는 기존의 백신과 달리 mRNA 백신은 바이러스가 아니기 때문에 인체가 바이러스에 감염될 위험이 없으며 체내 효소에 의해 쉽게 분해된다. [고2 2023년 3월 16-20]

채권을 가진 사람은 원칙적으로 특정한 채무자에 대해서만 일정한 행위를 요구할 수 있고, 제삼자에게는 권리를 주장할 수 없다. 반면에 소유권이나 저당권, 전세권 등 물건에 대한 지배권이라 할 수 있는 물권은 누구에게나 주장할 수 있는 권리이다. [고2 2023년 3월 21-25]

집과 일터의 경계가 뚜렷하지 않았던 전근대 사회와 달리 19세기 이후의 도시적 삶에서는 주거를 위한 사적 공간과 노동을 위한 공적 공간이 분리되었다. [고2 2023년 3월 26-30]

이는 전체를 강제로 회전시킨 힘을 제거했을 때 바깥쪽에서 원주속도가 서서히 떨어지고, 중심에서는 원주속도가 유지되는 상태의 소용돌이다. [고1 2023년 6월 21-25]

그리고 가치는 삶에 유용한가, 즉 그것이 삶을 더 강하게 만들어 주는가에 따라 평가된다. 그런데 전통 형이상학은 '도덕적 선'이라는 절대적 가치를 삶의 궁극적인 목적으로 여기고, 이에 따라 개별적 삶을 재단하려 하였다. [고2 2023년 6월 21-25]

'완전경쟁시장'은 많은 수의 수요자와 공급자 사이에 동질적인 상품이 거래되는 시장으로, 다른 기억의 시장 진입을 막는 진입장벽이 없어 누구나 들어와 경쟁할 수 있는 시장구조를 말한다. 이에 반해 '독점시장'은 비슷한 대체재가 없는 재화를 한 기업이 독점적으로 공급하는 극단적인 시장으로, 자원의 희소성이나 기술적 우월성 등으로 인해 진입장벽이 존재하는 시장구조를 말한다. [고2 2023년 6월 33-38]

음악에 사용되는 음은 현실의 무한한 소리 중 극히 일부이며, 일상에서 들을 수 있는 일반적 소리와 달리 균질적이고 세련되며 인위적인 배열을 따른다. [고1 2023년 9월 21-26]

그래서 무효인 법률행위, 즉 무효행위는 다른 법률행위로 전환을 하기도 하고, 추인함으로써 그때부터 새로운 법률행위가 되게 만들기도 한다. [고1 2023년 9월 30-33]

무효는 시간이 흘러도 그대로 유지되지만, 부당이득의 반환청구권은 소멸시효가 있으므로 영구적으로 주장할 수 있는 것은 아니다. [고1 2023년 9월 30-33]

인간의 시각은 낮은 주파수 성분의 변화에는 민감하나 높은 주파수 성분의 변화에는 둔감하기 때문에 높은 주파수 값이 분포하는 영역에 워터마크를 삽입하면 원본 이미지의 시각적인 변화를 최소화할 수 있다. [고1 2023년 9월 34-38]

마르크스는 사물의 경제적 가치를 사용 가치와 교환가치로 구분하면서 자본주의 사회에서는 경제적 가치가 교환가치에 의해 결정된다고 보았다. 마르크스의 이러한 주장과 달리 보드리야르는 교환가치가 아닌 사용 가치가 경제적 가치를 결정하며, 자본주의 사회는 소비 우위의 사회라고 주장했다. [고1 2022년 3월 16-20]

영원불변의 이데아계는 현상계에 나타난 모든 사물의 근본이 되는 보편자, 즉 형상(form)이 존재하는 곳으로 이성으로만 인식될 수 있는 관념의 세계이다. 반면 현상계는 이데아계의 형상을 바탕으로 만들어진 세계로 끊임없이 변화하는 사물이 감각에 의해 지각된다. [고1 2022년 3월 21-25]

오류를 검출하기 위해 송신기는 오류 검출 부호를 포함한 데이터를 전송하고 수신기는 수신한 데이터를 검사하여 오류가 있으면 재전송을 요청한다. [고1 2022년 3월 26-30]

해학을 유발하는 요소에는 상황적 요소와 언어적 요소가 있다. 상황적 요소는 상황의 반전, 상황의 부조화, 상황의 전이 등을 통해, 언어적 요소는 과장과 희화화, 재치 있는 표현을 통해 웃음을 머금게 하는 것을 말한다. [고2 2022년 3월 16-19 <보기>]

기존의 사실주의 회화가 대상을 있는 그대로 표현하려고 한 반면, 표현주의 회화는 눈에 보이는 대상의 모습이 아닌 작가의 감정이나 내면 등을 표현하려고 하였다. [고2 2022년 3월 20-25]

고유 식별 정보는 여권 번호와 같이 개인을 고유하게 구별하기 위해 부여된 정보이며, 민감 정보는 건강 정보나 정치적 견해와 같이 주체의 사생활을 현저히 침해할 우려가 있는 정보이다. [고2 2022년 3월 30-34]

가명 정보는 익명 정보와 달리 개인정보와 일대일 대응이 가능하기 때문에 가명 정보를 제3자에게 제공하는 경우 특정 개인을 알아보는 데 사용될 수 있는 정보를 포함해서는 안 된다. [고2 2022년 3월 30-34]

처리된 문자열이 교정 사전의 오류 문자열에 존재하지 않을 경우 바로 결과 문장으로 도출되지만, 존재할 경우 '교정 후보 집합 생성' 단계로 넘어간다. [고2 2022년 3월 38-41]

이 과정에서 음절의 좌나 우, 혹은 음절의 사이에 공백이 있을 때 1, 공백이 없을 때 0으로 표기한다. [고2 2022년 3월 38-41]

이때 신규성의 충족 여부는 서류 심사로, 구별성과 안정성의 충족 여부는 재배 심사로 확인한다. [고2 2022년 6월 16-20]

품종보호권자가 보호품종을 독점적으로 실시할 수 있는 기간인 품종보호권의 존속 기간은 과수나 임목은 품종보호권의 설정 등록일로부터 25년으로, 그 이외의 식물은 20년으로 설정하고 있다. [고2 2022년 6월 16-20]

내연기관차는 마찰 제동장치를 사용하므로 차가 감속할 때 운동에너지가 열에너지로 변환된 후 사라지는 반면, 친환경차는 감속 시 운동에너지를 전기에너지로 변환하여 배터리에 충전해 다시 사용할 수 있게 하는 회생 제동장치도 사용해 에너지 효율을 높이고 있다. [고1 2021년 9월 38-41]

즉 헌법은 국가 권력이 그 효력을 부정하거나 침해할 수 없도록 헌법재판제도와 같은 장치를 스스로 마련하여 지니고 있다는 점에서 다른 법규범과는 상이한 특징을 갖는데, 이것이 바로 헌법의 '자기 보장성'이다. [고2 2021년 9월 20-25]

그러나 헌법재판은 일반 소송과 달리 국가 기관이 그 재판 결과를 따르지 않아도 이를 강제적으로 따르게 할 수 없는 한계가 있다. [고2 2021년 9월 20-25]

그는 가난한 백성인 '소민'은 교화를 따름으로써, 부유한 백성인 '대민'은 생산 수단을 제공하고 납세의 부담을 맡음으로써 통치 질서의 안정에 기여해야 한다고 논했다. [고1 2021년 3월 16-20]

플라톤은 이 세계를 이데아계와 현상계로 나누고, 현상계는 이데아계를 본떠서 생겨난 것이라고 생각했는데, 플로티노스도 플라톤과 마찬가지로 세상을 이데아계인 예지계와 감각세계인 현상계로 구분했다. [고2 2021년 3월 32-36]

→ 플라톤이 무엇을 이데아계와 현상계로 구분했는지는 직접적으로 서술하고 있지 않지만 문장을 읽고 플라톤이 ′세계′를 이데아계와 현상계로 구분했음을 파악

그러나 두 세계가 근본적으로 단절되어 있다고 본 플라톤과는 달리 플로티노스는 '유출(流出)'과 '테오리아 (theōria)'의 개념을 통해 이 둘이 연결되어 있다고 주장했다. [고2 2021년 3월 32-36]

그는 다윈과 같은 기존의 진화론자와 달리 생존 경쟁의 주체를 유전자로 보고 개체는 단지 그러한 유전자를 다음 세대로 전달하는 운반체에 불과하다고 보았다. [고2 2021년 3월 37-42]

'본연지성'은 인간이 하늘로부터 부여받은 순수하고 선한 본성이고, '기질지성'은 본연지성에 사람마다 다른 기질이 더해진 것으로 사람에 따라 다양하게 나타난다. [고1 2021년 6월 21-25]

그러나 정약용은 선한 행위와 악한 행위의 원인을 기질이라는 선천적 요인으로 본다면 행위에 인간의 의지가 개입되지 않으므로 악한 행위를 한 사람에게 윤리적 책임을 물을 수 없다고 주희의 관점을 비판하였다. [고1 2021년 6월 21-25]

정약용은 감각적 욕구가 생존에 필요하고 삶의 원동력이 된다는 점에서 일부 긍정했으나, 감각적 욕구에서 비롯된 기호를 제어하지 못할 경우 악한 행위가 나타날 수 있고, 도덕적 욕구에서 비롯된 기호를 따를 경우 선한 행위가 나타난다고 보았다. [고1 2021년 6월 21-25]

용서는 타인을 다스리는 것과 관련되어 '타인의 악을 너그럽게 보아줌'을 의미하고, 추서는 자신을 다스리는 것과 관련되어 '내가 대접받고 싶은 대로 타인을 대우함'을 의미한다. [고1 2021년 6월 21-25]

그런데 용서는 타인의 악한 행위를 용인해 주는 문제가 발생할 수 있지만, 추서는 자신의 마음을 미루어 타인의 마음을 이해할 수 있으므로, 정약용은 추서에 따라 선한 행위를 실천해야 한다고 보았다. [고1 2021년 6월 21-25]

가격 변화에 따른 수요량의 변화가 민감하면 탄력적이라 하고, 가격 변화에 따른 수요량의 변화가 민감하지 않으면 비탄력적이라고 한다. [고1 2021년 6월 33-37]

필수재 수요의 가격탄력성은 대체로 비탄력적인 반면에, 사치재 수요의 가격탄력성은 대체로 탄력적이다. [고1 2021년 6월 33-37]

일반적으로 수요의 가격탄력성이 비탄력적인 경우 가격이 상승하면 총수입도 증가하지만, 수요의 가격탄력성이 탄력적인 경우 가격이 상승하면 총수입은 감소한다. [고1 2021년 6월 33-37]

내용증명은 다른 우편물과는 달리 발신인, 수신인, 우체국 3자가 각각 동일한 내용의 문서를 소지해야 하기 때문에 우체국에 같은 내용의 문서 3부를 제출해야 한다. [고2 2021년 6월 21-25]

차원이 같은 항을 더하거나 빼면 차원의 동일성이 유지되지만, 차원이 다른 항을 더하거나 빼면 차원의 동일성이 유지되지 않는다. [고2 2021년 6월 38-42]

소쉬르 이전의 사람들은 일반적으로 언어가 현실 세계의 대상을 지칭한다고 생각했다. 반면 소쉬르는 언어가 현실 세계를 있는 그대로 묘사하는 것이 아니라는 것을 언어의 기호 체계를 통해 설명하며, 오히려 사람들이 그들의 언어 체계에 맞춰 현실 세계를 새롭게 인식한다고 주장한다. [고2 2021년 11월 28-33]

중복보험은 초과보험과 유사하게 보험계약자가 중복보험을 의도한 경우와 그렇지 않은 경우를 구분하고 있다. [고1 2021년 11월 20-24]

진공 자외선 빔 라인에서는 주로 기체 상태의 물질의 구조나 고체 표면에서의 물질의 구조 등에 관한 실험들이 이루어지고, X선 빔 라인에서는 다른 빛보다 상대적으로 짧은 파장을 가진 X선의 특성을 이용하여 주로 물질의 내부 구조, 원자 배열 등에 대한 실험이 이루어진다. [고2 2020년 11월 26-30]

시간적 지역성은 6CPU가 한 번 사용한 특정 데이터가 가까운 미래에 다시 사용될 가능성이 높은 것을 말하고, 공간적 지역성은 한 번 사용한 데이터 근처에 있는 데이터가 곧 사용될 가능성이 높은 것을 말한다. [고1 2020년 9월 32-39]

한편 주기억장치는 '워드(word)' 단위로 데이터가 저장되고 캐시 기억장치는 '블록(block)' 단위로 데이터가 저장된다. 이때 워드는 비트(bit)의 집합이고 블록은 연속된 워드 여러 개의 묶음을 말한다. [고1 2020년 9월 32-39]

그에 의하면 베르니케 영역은 일종의 머릿속 사전으로, 단어가 소리의 형태로 저장되어 있는 언어 중추이고, 브로카 영역은 단어를 조합하여 문장이나 발화를 생성하는 언어 중추, 그리고 개념 중심부는 의미를 형성하거나 해석하는 언어 중추이다. [고1 2020년 3월 16-21]

즉, 베르니케 영역은 듣기와 읽기에서는 수용된 자극에 해당하는 단어를 찾아 의미를 해석하고, 말하기와 쓰기에서는 의미를 형성한 뒤 해당 단어를 찾는 역할을 한다고 보았다. [고1 2020년 3월 16-21]

기존의 전통적인 서양 회화가 대상의 고정적인 모습에 주목하여 비례, 통일, 조화 등을 아름다움의 요소로 보았다면, 미래주의 회화는 움직이는 대상의 속도와 운동이라는 미적 가치에 주목하여 새로운 미의식을 제시했다는 점에서 의의를 찾을 수 있다. [고1 2020년 3월 31-34]

여기서 잉여란 제품을 소비하거나 판매함으로써 얻는 이득으로, 소비자 잉여는 소비자가 어떤 재화를 구입할 때 지불할 용의가 있는 가격과 실제 지불한 가격의 차이이고, 생산자 잉여는 생산자가 어떤 재화를 판매할 때 실제 판매한 가격과 판매할 용의가 있는 가격의 차이이다. [고1 2020년 3월 38-42]

도덕적 자유주의자는 도덕적 원칙주의자와 달리 선험적인 도덕 법칙이 존재하지 않는다고 본다. [고2 2020년 3월 16-20]

가령 박테리아에 의한 질병 치료에 사용되는 설파제는, 인간과 박테리아가 모두 대사 과정에서 엽산이라는 물질을 필요로 하는데 엽산을 섭취하여 사용할 수 있는 인간과 달리 박테리아는 엽산을 스스로 만들어야만 한다는 점을 이용한다. [고2 2020년 3월 33-37]

TCA 항우울제는 전연접 뉴런의 수용체와 결합하여 신경전달물질의 재흡수가 일어나지 않도록 하는 방식으로, SNRI 항우울제는 신경전달물질의 재흡수를 억제하거나 후연접 뉴런의 수용체와 결합하는 방식으로, 연접 틈새에서 신경전달물질의 농도가 높아진 것과 같은 효과를 낸다. [고2 2020년 3월 33-37]

이러한 시장의 가격 조정 기능과 관련하여 거시 경제학에서는 시간대를 단기와 장기로 구분한다. 단기는 가격 조정이 원활히 이루어지지 않아 시장 불균형이 지속되는 시간대이며, 장기는 신축적 가격 조정에 의해 시장 균형이 달성되는 시간대이다. [고2 2020년 3월 38-42]

이에 따라 이들은 시장 불균형이 발생한 경우 가격이 조정되는 속도는 매우 빠르다는 고전학파의 전제를 유지하면서, 경기 변동을 균형 자체가 변화하는 현상으로 분석했다. [고2 2020년 3월 38-42]

또한 효율 임금은 노동자의 생산성을 유도하는 임금을 말하는데, 효율 임금 이론은 노동자의 생산성이 임금을 결정한다는 전통적인 임금 이론과 달리 임금이 높을수록 노동자의 생산성이 높아진다고 주장했다. [고2 2020년 3월 38-42]

사르트르(J. P. Sartre)는 실존주의를 대표하는 철학자로, 이전의 철학자들이 인간의 본질이 무엇이냐는 근원적 물음을 탐구했다면, 사르트르는 개개인의 실존을 문제 삼았다. 그의 사상은 '실존은 본질에 선행한다.'로 집약할 수 있는데, 여기서 '본질'은 어떤 존재에 관해 '그 무엇'이라고 정의될 수 있는 성질을 뜻하고, '실존'은 자기의 존재를 자각하면서 존재하는 주체적인 상태를 뜻한다. [고2 2020년 6월 16-20]

무신론자였던 사르트르는 인간은 사물과 달리 그 본질이나 목적을 가지고 판단할 수 없다고 보았다. [고2 2020년 6월 16-20]

쾌락을 추구하며 살아가는 '미적 실존'의 단계에서는 끝없는 쾌락의 추구로, 윤리 규범을 준수하며 살아가는 '윤리적 실존'의 단계에서는 자신의 불완전성으로, 결국 절망을 느끼게 된다고 보았다. [고2 2020년 6월 16-20]

조절수지상세포는 림프절에서 미성숙T세포를 조절T세포로 성숙시키는데, 조절T세포는 조력T세포나 세포독성T세포와는 달리 면역 반응을 억제하는 역할을 한다. [고2 2020년 6월 26-30]

법정형이 사형, 무기징역 등에 해당하는 사건의 경우에는 9인의 배심원이, 그 외의 경우에는 7인의 배심원이 재판에 참여하게 된다. [고2 2020년 6월 38-42]

다만 '무이유부기피신청'은 '이유부기피신청'과 달리 검사와 변호인 모두에게 인원 제한이 있는데, 배심원이 9인인 경우에는 각 5인, 배심원이 7인인 경우에는 각 4인, 배심원이 5인인 경우에는 각 3인까지 가능하다. [고2 2020년 6월 38-42]

품종보호권이 설정된 품종을 실시하고자 하는 자는 품종보호권자에게 품종실시료를 지불해야 한다. 단, 새로운 품종의 육성을 위한 연구를 목적으로 실시하는 경우 등에는 품종실시료를 지불하지 않아도 된다. [고2 2022년 6월 16-20]

내부 기압이 외부 기압보다 낮으면 물체는 찌그러지며, 반대의 경우에는 부풀어 오를 수 있다. [고2 2022년 6월 38-42]

무의식을 단지 의식에서 수용할 수 없는 원초적 욕구나 해결되지 못한 갈등의 창고로만 본 프로이트와 달리, 융은 무의식을 인간이 잠재적 가능성을 실현할 때 필요한 창조적인 에너지의 샘으로 보았다는 점에서, 그의 분석심리학은 프로이트의 이론과 구별된다. [고1 2023년 3월 28-33]

이때 소리가 내이에 도달하는 방식으로는 외이와 중이를 거치는 공기 전도와 이를 거치지 않는 골전도가 있다. [고1 2022년 6월 21-25]

응축기의 내부에는 기화기와 마찬가지로 냉매가 이동하는 다수의 배관이 있으며, 응축기 양옆에는 심층수가 이동하는 취수관과 배수관이 있다. [고1 2023년 11월 22-25]

모더니즘 건축이 명료성을 내세웠다면 그는 모호성을 새로운 기준으로 제시하며 형태를 기능에 가두는 것을 거부했다. [고1 2023년 11월 16-21]

사회구성주의자들이 개별 기술의 발달 방식을 파악하는 데 주력하여 기술의 발달 과정에 사회적 합의가 있다는 것을 발견하는 데 만족했다면, 핀버그는 기술 코드를 민주적으로 바꾸어야 한다고 강조하며 기술 사회의 바람직한 발전 방향을 제안하였다. [고2 2023년 11월 16-21]

왕도는 군주의 인격 완성을 통해 백성의 도덕적 교화까지 이루어 내는 것이고, 패도는 군주의 인격이 완성되지 않아 백성의 도덕적 교화까지는 이루어지지 않았지만 백성의 경제적 안정은 이루어 내는 것이다. [고1 2022년 11월 16-21]

이렇게 현재 상태를 나타내는 기호와 다음 상태를 나타내는 기호가 다르면 기계는 다음 상태로 바뀌고, 이와 달리 두 기호가 같으면 현재 상태가 유지된다. [고1 2022년 11월 25-29]

카드 회원의 수요의 가격탄력성이 높은 경우에는 연회비가 오를 때 카드 회원 수가 크게 감소하고, 수요의 가격탄력성이 낮은 경우에는 변동이 크지 않다. [고1 2022년 11월 38-41]

측정 부위의 혈류량이 많을 때는 빛의 흡수량이 늘어나 상대적으로 반사되는 빛이 적어집니다. 반대로 혈류량이 적을 때는 빛의 흡수량이 줄어들어 상대적으로 반사되는 빛이 많아집니다. [고2 2022년 11월 1-3]

플라톤에게 가지적 세계는 우리의 지성으로만 알 수 있는 세계이며, 결코 변하지 않는 본질, 즉 실재인 '에이도스'가 있는 세계이다. 반면 가시적 세계는 우리 눈으로 지각이 가능한 현실 세계로, 이 세계는 가지적 세계를 모방하여 재현한 환영이자 이미지에 불과하다. [고2 2022년 11월 16-21]

시뮬라크르가 모방을 거듭하면서 본질에서 멀어진 가짜라고 주장하는 플라톤과 달리 들뢰즈는 사물 그 자체라고 주장한다. [고2 2022년 11월 16-21]

보드리야르에 의하면 플라톤 이래 원본과 이미지의 경계가 분명했던 서구 근대 사회에서는 복제 이미지가 단순한 복사물에 불과했지만, 현대 사회에서는 실재보다 더 실재적이고 우월한 것이 된다. [고2 2022년 11월 16-21]

미키마우스는 다양한 미디어에서 반복되면서 쥐를 지시하던 기능과 가치가 사라졌고 사실상 쥐와 별개의 존재가 되었다. 다시 말해 실제 쥐와 미키마우스 사이의 경계는 붕괴되었고, 미키마우스는 모델이었던 실제 쥐보다 오히려 더 실재적이고 우월한 초과실재가 되었다. [고2 2022년 11월 16-21]

면정전방식은 투영정전방식에 비해 구조가 단순하고 단가가 낮다는 장점이 있다. 하지만 접촉된 위치를 대략적으로만 파악할 수 있어 정확도가 낮고 한 번에 하나의 접촉만 인식할 수 있기 때문에 여러 지점을 접촉했을 때 인식이 불가능하다는 단점이 있다. [고2 2021년 11월 8-10]

자기정전방식은 패널에 전도성 물체가 접촉하면 물체의 전하량과 패널의 전하량의 차이에 의해 전압이 변화하고, 이때 형성된 전기장에 의해 증가하는 정전용량을 측정하는 방식이라는 점에서 그 원리가 표면정전방식과 유사하다. [고2 2021년 11월 8-10]

하지만 자기정전방식은 표면정전방식과 달리 하나의 층에 여러 개의 행과 열의 형태로 배치된 각각의 센서들을 활용한다. [고2 2021년 11월 8-10]

랑그란 언어가 갖는 추상적인 체계이고, 파롤은 랑그에 바탕을 두고 개인이 실현하는 구체적인 발화이다. [고2 2021년 11월 28-33]

세포 안으로 흡수된 방사성추적자는 일반 포도당과 달리 세포의 에너지원으로 사용되지 않고, 일정 시간 동안 세포 안에 머무른다. [고1 2021년 11월 28-32]

아퀴나스에 따르면 인간의 욕구는 감각적 욕구와 지적 욕구로 구별되는데, 이는 선을 추구한다는 점에서는 동일하지만 크게 두 가지 차이점이 있다. [고1 2021년 11월 37-41 (가)]

감성적 차원의 사랑은 남녀 간의 사랑같이 인간의 경향성에 근거한 사랑이며, 실천적 차원의 사랑은 의무로서의 사랑이라 할 수 있다. [고1 2021년 11월 37-41 (가)]

일반적으로 차이란 서로 같지 않고 다르다는 의미로 쓰이지만 들뢰즈는 차이를 '개념적 차이'와 '차이 자체'로 구분하여 자신이 말하고자 하는 차이의 의미를 명확히 했다. [고1 2020년 11월 34-38]

'개념적 차이'란 개념적 종차를 통해 파악될 수 있는, 어떤 대상과 다른 대상의 상대적 다름을 의미하며, '차이 자체'란 개념으로 드러낼 수 없는 대상 자체의 절대적 다름을 의미한다. [고1 2020년 11월 34-38]

　일반적으로 반복은 같은 일을 되풀이한다는 의미로 쓰이지만 들뢰즈가 말하는 반복이란 되풀이하여 지각된 강도의 차이를 통해 개별 대상의 차이 자체를 발견해 나가는 과정을 의미한다. [고1 2020년 11월 34-38]

　다만 들뢰즈의 철학은, 개념을 최고의 가치로 숭상하면서 이 세상을 개념으로 온전히 규정하려는 기존 철학자들의 사상을 극복하고자 한 것이며 철학의 시선을 개념에서 현실 세계의 대상 자체로 돌리게 했다는 점에서 의의를 지닌다. [고1 2020년 11월 34-38]

'

　일반적인 이어폰은 이러한 진동을 공기를 통해 전달하는데, 골전도 이어폰은 귀 주변 뼈에 진동판을 밀착하여 진동을 내이로 직접 전달한다. [고1 2022년 6월 21-25]

　가설 검정을 위해 경영자는 '신약이 효과가 있다.'와 '신약이 효과가 없다.'라는 가설을 설정한다. 전자는 판단하는 이가 주장하려는 가설로 '대립(對立)가설'이라 하고 후자는 주장하고 싶은 내용과는 반대되는 가설인 '귀무(歸無)가설'이라 한다. [고1 2022년 6월 36-40]

즉 프레게는 '샛별'은 아침에 뜨는 별이라는 뜻을, '개밥바라기'는 저녁에 뜨는 별이라는 뜻을 의미하며, '샛별'과 '개밥바라기'는 동일한 지시체인 금성을 서로 다른 제시 방식으로 제시한 것이라고 말한다. [고2 2020년 11월 16-19]

그는 감정적 반응을 '공포 통제 반응', 인지적 반응을 '위험 통제 반응'이라 불렀다. 그리고 후자가 작동하면 수용자들은 공포 소구의 권고를 따르게 되지만, 전자가 작동하면 공포 소구로 인한 두려움의 감정을 통제하기 위해 오히려 공포 소구에 담긴 위험을 무시하려는 반응을 보이게 된다고 하였다. [고3 2024학년도 6월 4-7]

→ 공포 통제 반응 작동 : 공포 소구에 담긴 위험 무시 ↔ 인지 통제 반응 작동 : 공포 소구의 권고 따름

위협과 효능감의 수준이 모두 높을 때에는 위험 통제 반응이 작동하고, 위협의 수준은 높지만 효능감의 수준이 낮을 때에는 공포 통제 반응이 작동한다. 그러나 위협의 수준이 낮으면, 수용자는 그 위협이 자신에게 아무 영향을 주지 않는다고 느껴 효능감의 수준에 관계없이 공포 소구에 대한 반응이 없게 된다. [고3 2024학년도 6월 4-7]

→ 1. 위협과 효능감의 수준 모두 높음 : 위험 통제 반응 / 2. 위협이 높지만 효능감이 낮음 : 공포 통제 반응 / 3. 위협 수준 낮고 효능감 높음 : 공포 소구에 대한 반응 X / 4. 위협 수준 낮고 효능감 낮음 : 공포 소구에 대한 반응 X

촉매는 촉매가 없을 때와는 활성화 에너지가 다른, 새로운 반응 경로를 제공한다. [고3 2024학년도 6월 8-11]

→ 촉매가 없을 경우 : 새로운 반응 경로 제공 X ↔ 촉매가 있는 경우 : 새로운 반응 경로 제공 O

흡착이 약하면 흡착량이 적어 촉매 활성이 낮으며, 흡착이 너무 강하면 흡착된 반응물이 지나치게 안정화되어 표면에서의 반응이 느려지므로 촉매 활성이 낮다. [고3 2024학년도 6월 8-11]

의식을 포함한 모든 것을 물질로 환원하여 의식은 물질에 불과하다고 주장하거나 의식을 물질과 구분되는 독자적 실체로 규정함으로써 의식과 물질의 본질적 차이를 주장한다. [고3 2024학년도 6월 12-17]

지지율 차이가 오차 범위 내에 있을 때 "경합"이라는 표현은 무방하지만 서열화하거나 "오차 범위 내에서 앞섰다."라는 표현처럼 우열을 나타내어 보도할 수 없다는 것이다. [2024학년도 수능 4-7]

→ 지지율 차이가 오차 범위 내에 있을 때 : "경합" 표현은 O / 서열화, 우열 나타내는 표현은 X

석차처럼 순위가 있는 값에는 중앙값으로, 작업과 같이 문자인 경우에는 최빈값으로 결측치를 대체한다. [2024학년도 수능 4-7]

한비자는 노자에서처럼 욕망을 없애야 한다고 주장하지 않고 인간은 욕망을 필연적으로 가질 수밖에 없음을 지적하며 욕망을 제어하기 위해 법이 필요하다고 강조했다. [2024학년도 수능 12-17]

오징은 유학의 인의예지가 도의 쇠퇴 때문에 나타난 것이라는 노자와 달리 도가 현실화하여 드러난 것으로 해석했다. [2024학년도 수능 12-17]

압전 효과에는 재료에 기계적 변형이 생기면 재료에 전압이 발생하는 1차 압전 효과와, 재료에 전압을 걸면 재료에 기계적 변형이 생기는 2차 압전 효과가 있다. [고3 2024학년도 9월 8-11]

또한 올바른 정치의 여부에 따라 국가의 운명이 다하고 천명이 옮겨 간다는 내용을 드러내고자 기존 역사서와 달리 국가 간 전쟁과 외교 문제, 국가 말기의 혼란과 새 국가 초기의 혼란 수습 등을 부각하였다. [고3 2023학년도 6월 4-9]

비타민 K1과 K2는 모두 비타민 K-의존성 단백질의 활성화를 유도하지만 K1은 간세포에서, K2는 그 외의 세포에서 활성이 높다. 그러므로 혈액 응고 인자의 활성화는 주로 K1이, 그 외의 세포에서 합성되는 단백질의 활성화는 주로 K2가 담당한다. [고3 2023학년도 6월 10-13]

한편 위약금이 위약벌임이 증명되면 채권자는 위약벌에 해당하는 위약금을 받을 수 있고, 손해 배상 예정액과는 달리 법원이 감액할 수도 없다. [2023학년도 수능 10-13]

→ 위약금 = 위약벌일 때 법원 감액 X / 손해 배상 예정액 = 법원 감액 O

근대 이후 서양의 철학자들은 과학적 세계관이 대두하면서 이전과는 달리 인과를 물리적 작용 사이의 관계로 국한하려는 경향을 보였다. [고3 2022학년도 6월 4-9]

실시간 PCR는 전통적인 PCR와 동일하게 PCR를 실시하지만, 사이클마다 발색 반응이 일어나도록 하여 누적되는 발색을 통해 표적 DNA의 증폭을 실시간으로 확인할 수 있다. [고3 2022학년도 6월 14-17]

국민 소득이 일정 수준 이상인 상태에서는 국민 소득이 증가할수록 특허 보호 정도가 강해지는 경향이 있지만, 가장 낮은 소득 수준을 벗어난 국가들은 그들보다 소득 수준이 낮은 국가들보다 오히려 특허 보호가 약한 것으로 나타났다. [고3 2021학년도 6월 29-33]

→ 국민 소득이 일정 수준 이상 : 소득 증가↑ 특허 보호 정도 ↑
→ 국민 소득이 가장 낮은 소득을 "벗어난" 국가 > 국민 소득이 더 낮은 국가 : (오히려) 특허 보호 약함

대체로 이익 추구에 대해 부정적이었던 주자학자들과 달리, 박제가는 이익 추구를 인간의 자연스러운 욕망으로 긍정하고 양반도 이익을 추구하자는 등 실용적인 입장을 보였다. [2021학년도 수능 16-21]

이덕무는 청 문물의 효용을 도외시하지 않고 박제가와 마찬가지로 물질적 삶을 중시하는 이용후생에 관심을 보였다. [2021학년도 수능 16-21]

이러한 관점은 금융이 직접적인 생산 수단이 아니므로 단기적일 때와는 달리 장기적으로는 경제 성장에 영향을 미치지 못한다는 인식과, 자산 시장에서는 가격이 본질적 가치를 초과하여 폭등하는 버블이 존재하지 않는다는 효율적 시장 가설에 기인한다. [고3 2020학년도 6월 27-31]

거시 건전성 정책은 금융 시스템 위험 요인에 대한 예방적 규제를 통해 금융 시스템의 건전성을 추구한다는 점에서, 미시 건전성 정책과는 차별화된다. [고3 2020학년도 6월 27-31]

즉 경기가 호황일 때는 금융 회사들이 대출을 늘려 신용 공급을 팽창시킴에 따라 자산 가격이 급등하고, 이는 다시 경기를 더 과열시키는 반면 불황일 때는 그 반대의 상황이 일어난다. [고3 2020학년도 6월 27-31]

진핵세포는 세포질에 막으로 둘러싸인 핵이 있고 그 안에 DNA가 있지만, 원핵세포는 핵이 없다. [고3 2020학년도 6월 37-42]

역사가들이 주로 사용하는 문헌 사료의 언어는 대개 지시 대상과 물리적·논리적 연관이 없는 추상화된 상징적 기호이다. 반면 영화는 카메라 앞에 놓인 물리적 현실을 이미지화하기 때문에 그 자체로 물질성을 띤다. [고3 2020학년도 9월 21-26]

이렇듯 영화는 공식 역사의 대척점에서 활동하면서 역사적 의식 형성에 참여한다는 점에서 역사 서술의 한 주체가 된다. [고3 2020학년도 9월 21-26]
　→　공통점 : 역사 서술의 주체, 역사적 의식 형성 참여 / 차이점 : 영화 ↔ 공식 역사

점유란 물건에 대한 사실상의 지배 상태를 뜻한다. 이에 비해 소유란 어떤 물건을 사용·수익·처분할 수 있는 권리를 가진 상태라고 정의된다. [고3 2020학년도 9월 27-31]

물건을 빌려 쓰거나 보관하고 있는 것을 포함하여 물건을 물리적으로 지배하는 상태를 직접점유라고 한다. 이에 비해 어떤 물건을 빌려 쓰거나 보관하는 사람에게 그 물건의 반환을 청구할 수 있는 권리를 가진 사람도 사실상의 지배를 한다고 볼 수 있다. 이와 같이 반환청구권을 가진 상태를 간접점유라고 한다. [고3 2020학년도 9월 27-31]

→ "직접 지배" = 물건을 물리적으로 지배하는 상태 ↔ "간접점유" = 사실상의 지배 (물건의 반환 청구할 수 있는 권리)

→ '이에 비해'라는 표지를 통해 두 상태에 대한 차이를 인지하고 넘어가기

국제법에서 일반적으로 조약은 국가나 국제기구들이 그들 사이에 지켜야 할 구체적인 권리와 의무를 명시적으로 합의하여 창출하는 규범이며, 국제 관습법은 조약 체결과 관계없이 국제 일반이 받아들여 지키고 있는 보편적인 규범이다. [2020학년도 수능 37-42]

신용 위험의 경우와 달리 시장 위험의 측정 방식은 감독 기관의 승인하에 은행의 선택에 따라 사용할 수 있게 하여 '바젤 I' 협약이 1996년에 완성되었다. [2020학년도 수능 37-42]

→ 신용 위험 측정 : 감독 기관의 승인 X ↔ 시장 위험의 측정 : 감독 기관의 승인 O

뇌가 몸의 운동과 지각활동을 주관한다는 아담 샬의 설명에 대해, 이익은 몸의 운동을 뇌가 주관한다는 것은 긍정하였지만, 지각 활동은 심장이 주관한다는 전통적인 심주지각설(心主知覺說)을 고수하였다. [고3 2019학년도 6월 16-21]

인체에 대한 이전 유학자들의 논의가 도덕적 차원에 초점이 있었던 것과 달리, 그는 지각적·생리적 기능에 주목하였다. [고3 2019학년도 6월 16-21]

하지만 뇌가 운동뿐만 아니라 지각을 주관한다는 홉슨의 뇌주지각설(腦主知覺說)에 관심을 기울이면서도, 뇌주지각설은 완전한 체계를 이루기에 불충분하다고 보았다. [고3 2019학년도 6월 16-21]
  → 공통점 : 뇌주지각설의 전제에 동의 : 뇌=운동+지각 주관 / 차이점 : 뇌주지각설만으로는 체계를 이루기 불충분

직접 방식은 세균이나 분자량이 큰 단백질 등을 검출할 때 이용하고, 경쟁 방식은 항생물질처럼 목표 성분의 크기가 작은 경우에 이용한다. [고3 2019학년도 6월 35-38]

반대로 키트가 시료에 목표 성분이 들어 있지 않다고 판정하면 음성이라고 한다. 이 경우 실제로 목표 성분이 없다면 진음성, 목표 성분이 있다면 위음성이라고 한다. [고3 2019학년도 6월 35-38]

이에 대하여 소비학파는 근대 도시인이 내면세계를 상실한 사물로 전락한 것은 아니라고 하면서 생산학파를 비판하기 시작했다. [고3 2019학년도 9월 33-38]

→ 소비학파 : 근대 도시인 = 내면세계 상실한 사물 (X) ↔ 생산학파

근래 들어 노동 양식에 주목한 생산학파와 소비 양식에 주목한 소비학파의 입장을 아우르려는 연구가 진행되고 있다. [고3 2019학년도 9월 33-38]

예측 불가능한 이미지의 연쇄로 이루어진 영화를 체험하는 것은 이질적인 대상들이 복잡하고 불규칙하게 뒤섞인 근대 도시의 일상 체험과 유사하다. [고3 2019학년도 9월 33-38]

존재론의 측면에서 율곡은 '이'를 형체도 없고 시간과 공간의 제약을 받지 않고 존재하는 만물의 법칙이자 원리로 보고, '기'를 시간적인 선후와 공간적인 시작과 끝을 가지면서 끊임없이 변화하며 작동하는 물질적 요소로 본다. [고3 2018학년도 6월 16-21]

플라톤은 물질적이고 가변적인 사물들이 존재하는 현실 세계와 비물질적이고 불변적이고 완벽한 이데아들이 존재하는 이상 세계를 구분한다. [고3 2018학년도 6월 16-21]

DHCP는 IP주소가 필요한 컴퓨터의 요청을 받아 주소를 할당해 주고, 컴퓨터가 IP주소를 사용하지 않으면 주소를 반환받아 다른 컴퓨터가 그 주소를 사용할 수 있도록 해 준다. [고3 2018학년도 6월 30-34]

→ IP주소가 필요할 때(사용할 때) ↔ IP주소를 사용하지 않을 때

컴퓨터에는 네임서버의 IP 주소가 기록되어 있어야 하는데, 유동 IP 주소를 할당 받는 컴퓨터에는 IP 주소를 받을 때 네임서버의 IP 주소가 자동으로 기록되지만, 고정 IP 주소를 사용하는 컴퓨터에는 사용자가 네임서버의 IP 주소를 직접 기록해 놓아야 한다. [고3 2018학년도 6월 30-34]

관광객처럼 우리 주변에서 흔히 볼 수 있는 것을 대상으로 고르면 현실성이 높다고 하고, 그 대상을 시각적 재현에 기대어 실재와 똑같이 표현하면 사실성이 높다고 한다. [고3 2018학년도 9월 16-19]

팝아트는 대상의 정확한 재현보다는 대중과 쉽게 소통할 수 있는 인쇄 매체를 주로 활용한 반면에, 하이퍼리얼리즘은 새로운 재료나 기계적인 방식을 적극 사용하여 대상을 정확히 재현하는 방법을 추구하였다. [고3 2018학년도 9월 16-19]

거시 세계와 달리 양자 역학이 지배하는 미시 세계에서는, 우리가 관찰하기 이전에는 상호 배타적인 상태가 공존하는 것이다. [고3 2018학년도 9월 27-32]

속된 일상에서 사람들은 가치를 추구하기보다는 자기 이해관계를 구체화한 목표와 이의 실현을 안내하는 규범에 따라 살아간다. 하지만 위기 시기에는 사람들의 관심이 자신들의 특수한 이해관계에서 보편적인 가치로 상승한다. [고3 2018학년도 9월 38-42]

사단은 법인(法人)으로 등기되어야 법인격이 생기는데, 법인격을 가진 사단을 사단 법인이라 부른다. 반면에 사단성을 갖추고도 법인으로 등기하지 않은 사단은 '법인이 아닌 사단'이라 한다. [고3 2017학년도 9월 35-39]

현악기나 관악기에서 발생하는 고른음은 기본음 진동수의 정수배의 진동수를 갖는 부분음들로 이루어져 있지만, 타악기 소리는 부분음들의 진동수가 기본음 진동수의 정수배를 이루지 않는다. [고3 2017학년도 6월 28-33]

논리실증주의자는 예측이 맞을 경우에, 포퍼는 예측이 틀리지 않는 한, 그 예측을 도출한 가설이 하나씩 새로운 지식으로 추가된다고 주장한다. [2017학년도 수능 16-20]

일반적으로 법에서 의무를 위반하게 되면 위반한 자에게 그 의무를 이행하도록 강제하거나 손해 배상을 청구할 수 있는 것과 달리, 보험 가입자가 고지 의무를 위반했을 때에는 보험사가 해지권만 행사할 수 있다. [2017학년도 수능 37-42]

 # 포함 관계 : 포함 관계는 지문의 앞부분에서 주로 나오며, 글의 주제에 해당하는 개념의 포함 관계에 대한 언급을 통해 지문의 전개 방식을 파악할 수 있다. 또한, 이러한 포함 관계에 있는 각 요소들이 이후 대립항, 인과, 순서 등의 새로운 관계를 정립하니, 해당 지문에서 어떤 개념들에 대해 이야기하는지 포함 관계를 통해 파악하자. 포함 관계의 서술 방식은 크게 두 가지로 나뉘는데, 1) 큰 개념 안에 작은 개념이 구성 요소로 들어 있거나, 2) 큰 개념을 몇 가지 개념으로 쪼개어 보는 방식이다.

1) 따라서 언론중재법에는 언론 매체에 의해 피해를 받은 개인에게 신속하고 대등한 방어 수단을 제공하기 위해 정정 보도 청구권과 반론 보도 청구권이 규정되어 있다. [고2 2023년 9월 20-25]

→ 위 문장은 큰 틀에서 보았을 때 '언론중재법 ⊃ {정정 보도 청구권, 반론 보도 청구권}'로 정리할 수 있다. 언론중재법이라는 큰 개념 안에 정정 보도 청구권, 반론 보도 청구권이 구성 요소로서 존재한다.

2) 그는 인간이 세계와 관계 맺는 방식을 소유적 실존 양식과 존재적 실존 양식으로 구분하고 어떤 실존 양식을 따르는지에 의해 인간의 사고, 감정, 행동이 결정된다고 보았다. [고1 2022년 9월 22-25]

→ 1)의 문장과 서술 방식에서 약간의 차이가 있다. 1)은 큰 덩어리 안에 작은 부속 성분이 있는 것이라면, 2)는 큰 덩어리를 둘로, 혹은 셋으로 쪼개는 식이다. 그러나 지문에서 쓰이는 목적은 두 가지 모두 대개 포함 관계에 있는 작은 덩어리, 즉 구성 요소를 하나하나 소개하기 위함이다.

매매 계약, 유언 등과 같은 법률행위가 법률효과를 발생시키려면 성립요건과 효력요건을 갖추어야 한다. [고1 2023년 9월 30-33]

올리고당의 종류는 여러 가지이지만, 우리가 주변에서 쉽게 제품으로 접할 수 있는 올리고당은 정제하지 않은 설탕인 원당을 가공하여 만든 프락토올리고당과, 곡물의 전분을 가공하여 만든 이소말토올리고당이 있다. [고2 2023년 9월 8-10]

반론권 이외에도 방송법에 언론 매체가 사회의 다양성을 해치거나 임의로 특정 의견을 차별하지 못하게 하는 조항을 마련하고 있으며, 시청자 참여 프로그램을 편성하도록 하는 조항 등을 통해 국민이 언론 매체를 이용하여 자신의 의사를 표명할 수 있도록 하고 있다. [고2 2023년 9월 20-25]

따라서 언론중재법에는 언론 매체에 의해 피해를 받은 개인에게 신속하고 대등한 방어 수단을 제공하기 위해 정정 보도 청구권과 반론 보도 청구권이 규정되어 있다. [고2 2023년 9월 20-25]

이러한 경로를 통해 냄새 분자가 도달한 후각 상피에는 냄새를 받아들이는 후각 신경 세포 수백만 개가 밀집해 있다. [고2 2023년 9월 26-30]

세포의 말단에는 가느다란 섬모들이 뻗어 나와 얇은 점액질층에 잠겨 있고, 섬모 표면에는 특정한 몇 종류의 분자와 선택적으로 결합하는 막단백질인 후각 수용체가 점점이 박혀 있는데 한 개의 후각 신경 세포에는 한 종류의 후각 수용체만 존재한다. [고2 2023년 9월 26-30]

→ 두 가지 포함 관계(세포의 말단-가느다란 섬모, 섬모 표면-후각 수용체)와 후각 신경 세포에 관한 정보, 세 가지 다양한 정보가 한 문장 안에 담겨 있기 때문에 이를 하나씩 끊어서 읽을 수 있어야 한다.

제품에 있는 나트륨 함량 비교표시에서 해당 식품의 나트륨 함량과 나트륨 단계, 동일하거나 유사한 식품의 나트륨 평균 함량 등을 확인할 수 있다. [고1 2022년 9월 8-10]

그는 인간이 세계와 관계 맺는 방식을 소유적 실존 양식과 존재적 실존 양식으로 구분하고 어떤 실존 양식을 따르는지에 의해 인간의 사고, 감정, 행동이 결정된다고 보았다. [고1 2022년 9월 22-25]

허버트 사이먼은 합리적 행위와 관련하여 포괄적 합리성과 제한적 합리성이라는 두 가지 관점을 제시했다. [고2 2022년 9월 16-20]

그는 몸이 '현실적 몸의 층'과 '습관적 몸의 층'으로 이루어져 있다고 규정하였다. [고2 2022년 9월 33-37]

박은 음의 길이를 재는 단위로, 기준이 되는 박을 보통박이라 하고 보통박을 더 작은 단위로 쪼갠 박을 소박이라 한다. [고1 2021년 9월 24-26]

헌법을 바라보는 여러 관점 중 헌법해석학에 커다란 영향을 미친 헌법관으로는 법실증주의적 헌법관, 결단주의적 헌법관, 통합론적 헌법관을 들 수 있다. [고2 2021년 9월 20-25]

식물 독의 주성분은 대부분 알칼로이드라는 물질인데 이는 질소를 함유하는 염기성 유기화합물을 일컫는 것으로, 그 예에는 투구꽃의 '아코니틴'과 흰독말풀의 '아트로핀'이 있다. [고2 2021년 9월 35-38]

피막이 있는 바이러스는 피막의 바깥에 부착 단백질이 박혀 있고 피막 안에는 캡시드라는 단백질이 있다. 캡시드 안에는 핵산이 있는데, 핵산은 DNA와 RNA 중 하나로만 구성된다. [고2 2020년 9월 33-36]

이때 금리는 예금이나 빌려준 돈에 붙는 이자율로, 이는 기준 금리와 시중 금리 등으로 구분된다. [고1 2023년 3월 19-22]

세포핵 속 DNA에 저장된 생물체의 유전 정보는 mRNA로 전사되어 세포질로 내보내진 후 리보솜을 통해 단백질로 합성된다. [고2 2023년 3월 16-20]

바이러스는 단백질로 둘러싸인 DNA나 RNA를 유전 물질로 갖는 기생체로, 생물체에 침입하여 자신의 유전 물질을 mRNA로 바꾼 뒤 숙주 세포가 스스로 바이러스 단백질을 합성하게 한다. [고2 2023년 3월 16-20]

한편 생물체의 세포막은 인지질로 구성되는데, 인지질은 지방산으로 이루어진 소수성 꼬리와 음전하를 띤 인산기 머리를 갖고 있다. [고2 2023년 3월 16-20]

임대차를 체결하여 임차인에게 발생하는 권리인 임차권은 채권에 해당한다. [고2 2023년 3월 21-25]

원통 아래에 원추 모양의 통을 붙이고 원추 아래에 혼합물 상자를 두는데, 내부 중앙에는 별도의 작은 원통인 내통이 있다. [고1 2023년 6월 21-25]

직접 민주주의 하에서의 의사 결정 방법으로 단순 과반수제, 최적 다수결제, 점수 투표제, 보르다 투표제 등이 있다. [고1 2023년 6월 38-42]

속명과 종소명에는 특정 의미가 담겨 있는 경우가 많은데, 일반적으로 속명에는 식물의 생태적, 형태적 특성 등이, 종소명에는 식물의 자생지나 처음 발견된 곳 등이 반영되어 있다. [고2 2023년 6월 1-3]

시장 지배적 지위 남용은 거래 상대방으로부터 독점적 이익을 과도하게 얻어내는 '착취 남용'과 현실적, 잠재적 경쟁사업자의 사업 활동을 방해하거나 배제하는 '방해 남용'으로 나눌 수 있다. [고2 2023년 6월 33-38]

다음으로 방해 남용은 시장 지배적 사업자와 경쟁 관계에 있는 다른 사업자의 사업 활동을 부당하게 방해하거나, 신규 경쟁사업자의 시장 진입을 배제하여 경쟁 제한의 폐해를 초래하는 것이다. 대표적으로 '약탈적 가격 설정'과 '배타조건부 거래'가 있다. [고2 2023년 6월 33-38]

응축기의 내부에는 기화기와 마찬가지로 냉매가 이동하는 다수의 배관이 있으며, 응축기 양옆에는 심층수가 이동하는 취수관과 배수관이 있다. [고1 2023년 11월 22-25]

마르크스는 사물의 경제적 가치를 사용 가치와 교환가치로 구분하면서 자본주의 사회에서는 경제적 가치가 교환가치에 의해 결정된다고 보았다. [고1 2022년 3월 16-20]

기호는 어떤 대상을 지시하는 상징으로서 문자나 음성같이 감각으로 지각되는 기표와 의미 내용인 기의로 구성되는데, 기표와 기의의 관계는 자의적이다. [고1 2022년 3월 16-20]

플라톤은 초월 세계인 이데아계와 감각 세계인 현상계를 구분했다. [고1 2022년 3월 21-25]

정약용은 인간에게 '감각적 욕구에서 비롯된 기호'와 '도덕적 욕구에서 비롯된 기호'가 있다고 보았다. [고1 2021년 6월 21-25]

그는 '서'를 용서(容恕)와 추서(推恕)로 구분하고, 추서를 특히 강조하였다. [고1 2021년 6월 21-25]

마지막으로 빔라인은 실험 목적에 맞도록 방사광에서 원하는 파장을 분리시켜 실험에 이용하는 장치로, 크게 진공 자외선 빔 라인과 X선 빔라인으로 나눌 수 있다. [고2 2020년 11월 26-30]

편익이란 어떤 선택을 할 때 얻는 이득으로, 기업의 판매 수입과 같은 금전적인 것이나 소비자가 상품을 소비함으로써 얻는 정신적 만족감과 같은 비금전적인 것을 말한다. [고2 2020년 9월 16-21]

식욕은 기본적으로 뇌의 시상 하부에 있는 식욕 중추의 영향을 받는데, 이 중추에는 배가 고픈 느낌이 들게 하는 '섭식 중추'와 배가 부른 느낌이 들게 하는 '포만 중추'가 함께 있다. [고1 2021년 6월 16-20]

물질의 기본 단위인 원자 중심에는 양성자와 중성자로 이루어진 원자핵이 있다. [고1 2020년 6월 16-20]

아리스토텔레스의 고전 논리학에서는 기본 명제를 네 가지로 분류하고 이를 각각 '전체 긍정 명제', '전체 부정 명제', '부분 긍정 명제', '부분 부정 명제'라고 이름을 붙였다. [고1 2020년 6월 37-41]

사르트르는 이 세계의 모든 존재를 '의식'의 유무를 기준으로 의식이 없는 '사물 존재'와 의식이 있는 '인간 존재'로 구분하였다. [고2 2020년 6월 16-20]

기피신청에는 기피 이유를 제시하고 기피 여부를 재판부가 판단하는 '이유부기피 신청'과 기피 이유를 제시하지 않아도 재판부에서 무조건 기피 신청을 받아들여야 하는 '무이유부기피신청'이 있다. [고2 2020년 6월 38-42]

예를 들어 딸기의 품종에는 과실이 단단하고 저장성이 좋은 매향, 수확기가 이르고 키우기 쉬운 설향, 당도가 높고 기형 과실의 발생이 적은 죽향 등이 있다. [고2 2022년 6월 16-20]

시각기관인 눈은 시각을 감지하는 데에 관여하는 안구, 안구를 움직이는 근육이나 안구를 보호하는 눈꺼풀과 같은 부속 기관으로 이루어져 있다. [고2 2022년 6월 38-42]

전기 요금은 사용량과 관계없이 발생하는 기본요금과 사용량에 따라 발생하는 추가 요금으로 이루어져 있어 고정원가와 변동원가의 특성을 모두 가진다. [고1 2023년 11월 26-30]

발전 설비는 냉매 펌프, 기화기, 터빈, 응축기 등의 기기로 구성된다. 이 기기들은 냉매가 이동할 수 있는 배관으로 연결되어 있고, 냉매는 이 배관을 따라 기기들을 순차적으로 지나며 순환한다. [고1 2023년 11월 22-25]

경험으로의 전환은 기술에 대한 서술적인 접근 방식과 규범적인 접근 방식으로 나누어 볼 수 있다. [고2 2023년 11월 16-21 (나)]

행정 기관이 명시적으로 의사를 드러내는 것뿐 아니라 행정적 권한을 행사하지 않음으로써 묵시적으로 의사를 드러내는 것도 의사를 표명하는 행위로 보아 공적 견해 표명이 될 수 있다. [고2 2023년 11월 22-25]

튜링 기계는 사람이 계산할 때 일어나는 사고 과정을 응용한 가상의 기계로 테이프, 헤드, 상태 기록기 등의 부품으로 구성된다. [고1 2022년 11월 25-29]

네트워크 외부성은 어떤 제품이나 서비스를 사용하는 이용자의 규모가 이용자의 효용에 영향을 미치는 것으로 직접 네트워크 외부성과 간접 네트워크 외부성으로 구분된다. [고1 2022년 11월 38-41]

플랫폼 사업자가 수익을 창출하기 위해 사용하는 대표적인 전략으로 공짜 미끼와 프리미엄(free-mium) 등이 있다. [고1 2022년 11월 38-41]

보시는 바와 같이 PPG 센서는 빛을 내보내는 LED와 반사된 빛을 감지하는 광센서로 구성되어 있습니다. [고2 2022년 11월 1-3]

'예술은 재현의 기술이기 때문에 무가치한 것이다.' 이는 플라톤의 예술관이 드러난 말로, 세계를 '가지적 세계'와 '가시적 세계'로 구분하는 그의 세계관과 밀접한 연관이 있다. [고2 2022년 11월 16-21]

플라톤은 가시적 세계의 사물들을 '에이돌론'이라 부르며, 에이돌론을 에이도스의 성질을 얼마나 반영했는지에 따라 '에이콘'과 '판타스마'로 구분한다. [고2 2022년 11월 16-21]

터치스크린 패널에 사용되는 정전용량 방식에는 일반적으로 표면정전방식과 투영정전방식이 있다. [고2 2021년 11월 8-10]

투영정전방식은 접촉을 감지할 수 있는 센서를 패널의 일정한 구역마다 배치하여 활용하는 방식으로 자기정전방식과 상호정전방식으로 나눌 수 있다. [고2 2021년 11월 8-10]

기호란 어떠한 뜻을 나타내기 위해 쓰이는 표지를 이르는데, 기표와 기의로 이루어진다. [고2 2021년 11월 28-33]

범죄인인도거절 사유로는 피청구국이 범죄인인도를 할 수 없는 절대적 인도거절 사유와 범죄인인도를 하지 않을 수 있는 임의적 인도거절 사유가 있다. [고2 2020년 11월 20-25]

방사광가속기는 일반적으로 크게 전자입사장치, 저장링, 빔라인 등으로 구성되어 있다. [고2 2020년 11월 26-30]

전자 입사 장치는 전자를 방출시킨 뒤 빛의 속도에 가깝게 가속시켜 저장링으로 주입하는 장치로, 전자총과 선형가속기로 구성된다. [고2 2020년 11월 26-30]

저장링은 휨전자석, 삽입장치, 고주파 공동장치 등으로 구성되어 있고, 일반적으로 n각형 모양으로 설계하여 n개의 직선 부분과 n개의 모서리 부분으로 이루어져 있다. [고2 2020년 11월 26-30]

고체 촉매는 활성 성분이 반드시 포함되어 있어야 하지만 경우에 따라 증진체나 지지체를 포함하지 않기도 한다. [고3 2024학년도 6월 8-11]

비타민 K는 식물에서 합성되는 비타민 K1과 동물 세포에서 합성되거나 미생물 발효로 생성되는 비타민 K2로 나뉜다. [고3 2023학년도 6월 10-13]

손해 배상 예정액은 위약금의 일종이며, 계약 위반에 대한 제재인 위약벌도 위약금에 속한다. [2023학년도 수능 10-13]

주형 DNA란 시료로부터 추출하여 PCR에서 DNA 증폭의 바탕이 되는 이중 가닥 DNA를 말하며, 주형 DNA에서 증폭하고자 하는 부위를 표적 DNA라 한다. [고3 2022학년도 6월 14-17]

보이스코일 모터를 포함한 카메라 모듈은 중앙에 위치한 렌즈 주위에 코일과 자석이 배치되어 있다. [고3 2021학년도 6월 25-28]

미시 건전성 정책은 개별 금융 회사의 건전성에 대한 예방적 규제 성격을 가진 정책 수단을 활용하는데, 그 예로는 향후 손실에 대비하여 금융 회사의 자기자본 하한을 설정하는 최저 자기자본 규제를 들 수 있다. [고3 2020학년도 6월 27-31]

세포는 사람과 같은 진핵생물의 진핵세포와, 박테리아나 고세균과 같은 원핵생물의 원핵세포로 구분된다. [고3 2020학년도 6월 37-42]

공생은 서로 다른 생명체가 함께 살아가는 것을 말하며, 서로 다른 생명체를 가정하는 것은 어느 생명체의 세포 안에서 다른 생명체가 공생하는 '내부 공생'에서도 마찬가지이다. [고3 2020학년도 6월 37-42]

양수인이 간접점유를 하여 소유권 이전이 공시되는 경우로서 '점유개정'과 '반환청구권 양도'가 있다. [고3 2020학년도 9월 27-31]

LFIA 키트는 가로로 긴 납작한 막대 모양인데, 시료 패드, 결합 패드, 반응막, 흡수 패드가 순서대로 나란히 배열된 구조로 되어 있다. [고3 2019학년도 6월 35-38]

공인 IP 주소에는 동일한 번호를 지속적으로 사용하는 고정 IP 주소와 번호가 변경되기도 하는 유동 IP 주소가 있다. [고3 2018학년도 6월 30-34]

현대 사회의 사회적 공연의 요소들로는 성과 속의 분류 체계를 다양하게 구체화한 대본, 다양한 대본을 자신만의 방식으로 실행하는 배우, 계급·출신 지역·나이·성별 등 내부적으로 분화된 관객, 시·공간적으로 다양한 동선을 짜서 공연을 무대 위에 올리는 미장센, 시·공간의 한계를 넘어 공연을 광범위한 관객에게 전파하는 상징적 생산 수단, 공연을 생산하고 배포하고 해석하는 과정을 총체적으로 통제하지 못할 정도로 고도로 분화된 사회적 권력 등이 있다. [고3 2018학년도 9월 38-42]

물질론 가운데 일부는 모든 생물학적 과정이 물리·화학 법칙으로 설명된다는 환원론으로 이어졌다. [2018학년도 수능 16-19]
 → 상위 범주 : 물질론 / 하위 범주 : 환원론, 무언가

퍼셉트론은 입력값들을 받아들이는 여러 개의 입력 단자와 이 값을 처리하는 부분, 처리된 값을 내보내는 한 개의 출력 단자로 구성되어 있다. [고3 2017학년도 6월 16-19]

이에 비해 복잡한 판정을 할 수 있는 인공 신경망은 다수의 퍼셉트론을 여러 계층으로 배열하여 한 계층에서 출력된 신호가 다음 계층에 있는 모든 퍼셉트론의 입력 단자에 입력값으로 입력되는 구조로 이루어진다. [고3 2017학년도 6월 16-19]

대부분의 악기에서 나오는 음은 사인파보다 복잡한 파형을 갖는데 이런 파형은 진동수와 진폭이 다른 여러 개의 사인파가 중첩된 것으로 볼 수 있다. 이런 소리를 복합음이라고 하고 복합음을 구성하는 단순음을 부분음이라고 한다. [고3 2017학년도 6월 28-33]

논리실증주의자와 포퍼는 지식을 수학적 지식이나 논리학 지식처럼 경험과 무관한 것과 과학적 지식처럼 경험에 의존하는 것으로 구분한다. [2017학년도 수능 16-20]

문제해결 : '문제해결'은 문제-해결 구조를 띠는 지문 전반의 거시적인 흐름을 한 문장 단위에서 예측하는 연습을 함으로써, 기본적인 문장 독해뿐만 아니라 거시적인 구조를 선제적으로 파악하는 것에 익숙해지도록 구성했다. 한 문장의 뜻을 온전하게 읽어내는 것도 중요하지만 수능 지문을 분석하는 것에 있어서 지문의 거시적인 흐름과 구조 또한 배제할 수 없다. 지문의 흐름을 파악하는 것은 지문을 다 읽은 후에 이루어지는 것이 아니라 지문을 읽는 동안 문장과 문장을 연결하고 구분하며 이때까지의 전개된 흐름을 정리하고, 앞으로의 흐름을 예측하며 이루어진다. 따라서 이번 챕터에서는 문제-해결 구조의 문장 독해를 통해 지문의 거시적인 흐름, 구조 파악을 연습하는 것을 목적으로 한다.

1) CD의 고속 회전 등으로 진동이 생기면 광선의 위치가 트랙을 벗어나거나 초점이 맞지 않아 데이터를 잘못 읽을 수 있다. [2014학년도 수능 A형 28-30]

→ 데이터를 '잘못' 읽는 상황을 방지하기 위해, (1) 광선의 위치가 트랙을 벗어난 경우, (2) 광선의 초점이 맞지 않는 경우 각각에 대해 해결책을 제시하는 흐름으로 서술할 것임을 예측할 수 있다.

2) 자신이나 일란성 쌍둥이의 이식편을 이용할 수 없다면 다른 사람의 이식편으로 '동종 이식'을 실시한다. 그런데 우리의 몸은 자신의 것이 아닌 물질이 체내로 유입될 경우 면역 반응을 일으키므로, 이를 막기 위해 면역 억제제를 사용한다. [2020학년도 수능 26-29]

→ 동종 이식으로 인해 발생하는 면역 반응을 최소화하기 위해서, 해결책을 고안하는 흐름으로 서술할 것임을 예측할 수 있다.

3) 예약에서 예약상의 급부나 본계약상의 급부가 이행되지 않는 문제가 생길 수 있는데, 예약의 유형에 따라 발생 문제의 양상이 다르다. [2021학년도 수능 26-30]

→ 예약의 급부가 이행되지 않을 때, 발생 문제의 양상과 해결책을 여러 갈래로 나누어 서술할 것임을 예측할 수 있다.

배런은 당시 미국과 영국 내 언론의 독과점으로 인해 국민의 다양한 의견을 표출할 수 있는 통로가 점점 사라지고 있음을 지적했다. [고2 2023년 9월 20-25]

하지만 지속 가능성과 친환경성을 표방한 공유 경제 플랫폼이 점점 상업화되면서 오히려 과소비를 조장하거나, 대형 플랫폼을 선점한 공유 경제 기업이 시장을 독점하는 부작용이 나타나기도 합니다. [고2 2022년 9월 8-10]

헌법이란 어느 한 요소에만 환원시킬 수 없는 국가라는 현상의 기본 질서이므로, 헌법의 본질을 설명하기 위해서는 복합적인 요소들을 종합적으로 고찰하여야 한다. [고2 2021년 9월 20-25]

만일 자아가 제 역할을 하지 못하면 정신 요소의 균형이 깨져 불안감이 생기는데, 자아는 이를 해소하기 위해 무의식적으로 방어기제를 사용하게 된다. [고1 2023년 3월 28-33]

그러나 강한 세기의 빛을 출력할수록 OLED의 수명이 단축되는 문제가 있다. 이러한 이유로 OLED 스마트폰에는 편광판과 위상지연필름을 활용하여, 외부광의 반사로 높아진, 검은색을 표현할 때의 휘도를 낮추는 기술이 적용되고 있다. [고1 2023년 3월 38-42]

반면 이처럼 체내에서 불안정할 뿐 아니라 분자의 크기가 크고 음전하를 띠고 있어 세포에 거의 흡수되지 않는 문제가 있다. 따라서 mRNA를 보호하여 세포 내로 진입시키기 위해 지질 나노 입자를 이용한다. [고2 2023년 3월 16-20]

따라서 고통의 굴레에서 벗어나려면 예술과 명상, 금욕을 통해 이를 다스려야 하며, 참된 행복을 위해서는 이 의지를 완전히 버리는 것이 필요하다고 단언하였다. [고2 2023년 6월 21-25]

정보 통신 기술의 발달로 개인에 대한 정보가 데이터베이스화되면서 개인정보 유출로 인한 피해가 증가하고 있다. [고2 2022년 3월 30-34]

단단하지 않은 물체가 기압에 저항해 원래의 모양을 유지하기란 쉽지 않다. [고2 2022년 6월 38-42]

수학자 힐베르트는 어떤 1차 논리의 논리식이 주어졌을 경우 이 논리식이 타당한지 여부를 결정하는 알고리즘이 존재하느냐하는 문제를 제기했다. [고1 2022년 11월 25-29]

범죄인이 다른 나라로 도피하면 그 신병을 확보하기 어려워 처벌이 힘들다. 이 때문에 근대에 들어 각국은 국제법상 범죄인 인도 제도를 발전시켰다. [고2 2020년 11월 20-25]

그런데 오늘날의 국제 경제 환경에서는 후발 기업이 선발 기업을 따라잡아 산업의 주도권이 선발 기업에서 후발 기업으로 이동하는 현상이 종종 관찰된다. [고1 2020년 11월 20-24]

하지만 흥미를 돋우는 데 치중하는 경마식 보도는 선거의 주요 의제를 도외시하고 경쟁 결과에 초점을 맞춰 선거의 공정성을 저해할 수 있다. 경마식 보도의 문제점을 줄이려는 조치가 있다. [2024학년도 수능 4-7]

그런데 데이터에 결측치와 이상치가 포함되면 데이터의 특징을 제대로 나타내기 어렵다. [2024학년도 수능 8-11]

하지만 칼슘 보충제를 섭취해서 혈액 내 칼슘 농도는 높아지나 골밀도는 높아지지 않고, 혈관 벽에 칼슘염이 침착되는 혈관 석회화가 진행되어 동맥 경화 및 혈관 질환이 발생하는 경우가 생긴다. [고3 2023학년도 6월 10-13]

만약 혈관 벽이 손상되어 출혈이 생기면 손상 부위의 혈액이 응고되어 혈액 손실을 막아야 한다. [고3 2023학년도 6월 10-13]

조선 후기의 대표적인 관료 선발 제도 개혁론인 유형원의 공거제 구상은 능력주의적, 결과주의적 인재 선발의 약점을 극복하려는 의도와 함께 신분적 세습의 문제점도 의식한 것이었다. [고3 2021학년도 6월 16-21]

일반 사용자가 디지털카메라를 들고 촬영하면 손의 미세한 떨림으로 인해 영상이 번져 흐려지고, 걷거나 뛰면서 촬영하면 식별하기 힘들 정도로 영상이 흔들리게 된다. 흔들림에 의한 영향을 최소화하는 기술이 영상 안정화 기술이다. [고3 2021학년도 6월 25-28]

OIS 기술이 손 떨림을 훌륭하게 보정해 줄 수는 있지만 렌즈의 이동 범위에 한계가 있어 보정할 수 있는 움직임의 폭이 좁다. [고3 2021학년도 6월 25-28]

이처럼 법률의 규정과 계약의 내용이 어긋날 때 어떤 것이 우선 적용되어야 하는가, 법적 불이익은 없는가 등의 문제가 발생한다. [고3 2020학년도 6월 22-26]

그런데 S의 과도한 생장이 반추 동물에게 악영향을 끼치는 경우가 있다. 반추 동물이 짧은 시간에 과도한 양의 비섬유소를 섭취하면 S의 개체 수가 급격히 늘고 과도한 양의 젖산이 배출되어 반추위의 산성도가 높아진다. [2017학년도 수능 33-36]

1) 전체 화면을 잘게 나눈 점이 화소인데, 정해진 개수의 화소로 화면을 표시하고 각 화소별로 밝기나 색상 등을 나타내는 화솟값이 부여된다. [2021학년도 수능 34-37]

선지: 장면 3의 렌더링 단계에서 전체 화면에서 화솟값이 부여되는 화소의 개수는 변하지 않겠군.

→ 평가원 지문에서 '고정, 불변, 일정하다' 혹은 '변화한다'의 의미를 가진 표현들은 늘 선지화되어, 문항에 출제되는 경향이 있다. 해당 문장의 '정해진 개수의 화소'라는 표현 또한 '화수의 개수가 고정, 일정'하다는 의미로 37번 문항 5번 선지에 출제된 바 있다.

2) 이때 삼각형의 꼭짓점들을 물체의 모양과 크기를 결정하는 정점이 되는데, 이 정점들의 개수는 물체가 변형되어도 변하지 않는다. [2021학년도 수능 34-37]

선지: 장면 2의 모델링 단계에서 풍선에 있는 정점의 개수는 유지되겠군.

→ '이 정점들의 개수는 물체가 변형되어도 변하지 않는다', 즉 '정점의 개수가 고정, 일정'하다는 의미로 37번 문항 2번 선지에 출제된 바 있다.

3) 존재론의 측면에서 율곡은 '이'를 형체도 없고 시간과 공간의 제약을 받지 않고 존재하는 만물의 법칙이자 원리로 보고, '기'를 시간적인 선후와 공간적인 시작과 끝을 가지면서 끊임없이 변화하며 작동하는 물질적 요소로 본다. [고3 2018학년도 6월 16-21]

선지: 율곡의 '이'는 플라톤의 '이데아'와 달리 시간과 공간의 제약을 받지 않는다.

→ '이'가 시간과 공간의 제약을 받지 않고, '기'가 공간적인 시작과 끝을 가진다는 점에서 둘을 존재론의 측면에서 대비되는 요소로 파악했어야 한다. '이'와 '기'가 대립적 요소라면 '만물의 법칙이나 원리', 그리고 '끊임없이 변화하며 작동하는 물질적 요소' 또한 상반되는 관계에 놓여있음을 알 수 있다. 따라서 '이'는 시간과 공간의 측면에서 불변하는 만물의 법칙이나 원리임을 파악할 수 있다. 다른 예시 문장들과 마찬가지로 '고정, 불변, 일정'한 특성을 지닌 '이'가 19번 <보기> 문항 2번 선지에 그대로 출제된 바 있다.

에너지는 항상 높은 쪽에서 낮은 쪽으로 이동하여 평형을 이루려고 하고 에너지의 이동은 물질의 온도를 변화시킨다. [고1 2022년 9월 30-34]

그는 도가 형체가 없을 뿐 아니라 일정하게 고정되어 있지 않기 때문에 때와 상황에 따라 유연하게 변화하는 것이라고 파악했다. [2024학년도 수능 12-17]

다른 국가들은 달러화에 대한 자국 통화의 가치를 고정했고, 달러화로만 금을 매입할 수 있었다. [2022학년도 수능 10-13]

정점들의 개수는 물체가 변형되어도 변하지 않으며, 정점들의 상대적 위치는 물체 고유의 모양이 변하지 않는 한 달라지지 않는다. [2021학년도 수능 34-37]

수식 : 수식은 말 그대로 숫자나 문자를 계산 기호로 연결해둔 식인데, 지문 속의 수식을 활용하여 계산하는 문제가 나오는 경우가 있다. 따라서 독서 지문에서 수식이 텍스트로 제시되었을 때 그 텍스트를 수식으로 바꾸어 정리할 줄 알아야 한다.

1) 결국 원본 이미지의 픽셀 수는 최대로 삽입 가능한 비트 수와 같기 때문에 원본 이미지의 픽셀 수가 워터마크 이미지의 전체 비트 수보다 적다면 워터마크 이미지의 데이터 일부는 삽입할 수 없게 된다. [고1 2023년 9월 34-38]

→ '원본 이미지의 픽셀 수 ≥ 워터마크 이미지의 비트 수'라는 수식이 완성되는데, 이때 원본 이미지의 '픽셀' 수와 워터마크 이미지의 '비트' 수를 비교하고 있으므로 사실상 '원본 이미지의 비트 수*8 ≥ 워터마크 이미지의 비트 수'로 판단해야 한다.

2) 은행의 영업 이익은 예대 금리 차로 발생한 수익에서 인력과 지점 조직, IT 인프라를 유지하기 위한 경상 운영비를 차감한 것이 된다. [고1 2020년 9월 16-20]

→ '영업 이익 = 수익 − 경상 운영비'이고, 이때 '수익 = 예대 금리 차(대출 이자 − 예금 이자)'이다.

이때 합리적인 선택을 하려면 편익과 비용을 충분히 고려하여 편익에서 비용을 뺀 순편익이 가장 큰 대안을 선택해야 한다. [고2 2020년 9월 16-21]

평균비용은 어떤 양의 상품을 생산하는 데 투입된 총비용을 생산량으로 나눈 것으로, 상품을 한 단위 생산하는 데 드는 평균적인 비용을 말한다. [고2 2020년 9월 16-21]

명암비는 가장 밝은색과 가장 어두운색을 화면이 얼마나 잘 표현하는지를 나타내는 수치로, 흰색을 표현할 때의 휘도를 검은색을 표현할 때의 휘도로 나눈 값이다. 가령, 흰색을 표현할 때의 휘도가 2,000 cd/㎡이고 검은색을 표현할 때의 휘도가 2 cd/㎡인 스마트폰의 명암비는 1,000이다. [고1 2023년 3월 38-42]

총비용은 의사 결정 비용과 외부 비용의 합으로 결정된다. [고1 2023년 6월 38-42]

일반적으로 제조원가와 비제조원가의 합에 예상 수익을 더한 것이 판매가격이 된다. [고1 2023년 11월 26-30]

송신기는 전송할 데이터의 오른쪽 끝에 생성 부호의 비트 수보다 하나 작은 비트 수만큼 0을 추가한 후 이를 생성 부호로 나누고 그 나머지가 오류 검출 부호가 된다. [고1 2022년 3월 26-30]

원자핵의 결합 에너지를 질량수로 나눈 것을 핵자당 결합 에너지라고 하고 그 값은 원자핵의 종류에 따라 다르다. [고1 2021년 3월 26-30]

'질량 - 에너지 등가 원리'에 따르면 질량과 에너지는 상호 간의 전환이 가능하고, 이때 에너지는 질량에 광속의 제곱을 곱한 값과 같다. [고1 2021년 3월 26-30]

지레는 작용점, 받침점, 힘점이 있는데, 작용점에 가하는 힘을 F, 작용점에서 받침점까지의 거리를 D, 힘점에 작용하는 힘을 f, 힘점에서 받침점까지의 거리를 d라고 할 때, FD = fd이면 지레는 어느 한쪽으로 기울어지지 않고 평형을 이루게 된다. [고2 2021년 3월 24-27]

해밀턴의 법칙에 의하면, 'r×b-c>0'을 만족할 때 개체의 이타적 유전자가 진화한다. 이때 'r'은 유전적 근연도로 이타적 행위자와 이의 수혜자가 유전자를 공유할 확률을, 'b'는 이타적 행위의 수혜자가 얻는 이득을, 'c'는 이타적 행위자가 감수하는 손실을 의미한다. [고2 2021년 3월 37-42]

총수입은 상품 판매자의 판매 수입이며 동시에 상품에 대한 소비자의 지출액인데, 이는 상품의 가격에 거래량을 곱한 수치로 산출할 수 있다. [고1 2021년 6월 33-37]

그렇다면 수요의 가격탄력성은 어떻게 계산할 수 있을까? 수요의 가격탄력성은 수요량의 변화율을 가격의 변화율로 나눈 값이다. [고1 2021년 6월 33-37]

여기서 단위당 제조원가는 특정 기간에 생산된 제품 한 개의 제조원가를 의미하는 것으로, 발생한 제조원가의 총액을 총생산량으로 나누어 구한다. [고1 2023년 11월 26-30]

유류분은 피상속인의 무상 처분 행위가 없었다고 가정할 때 상속인들이 상속받을 수 있었을 이익 중 법으로 보장된 부분이다. [고3 2024학년도 9월 10-13]

무상 취득자가 반환해야 할 유류분 부족액이 무상 처분된 물건의 가치보다 적다면 유류분권자는 그 물건의 가치에 상당하는 금액에서 유류분 부족액이 차지하는 비율만큼 무상 취득자로부터 반환받을 수 있다. [고3 2024학년도 9월 10-13]

퍼셉트론은 각각의 입력 단자에 할당된 가중치를 입력값에 곱한 값들을 모두 합하여 가중합을 구한 후, 고정된 임계치보다 가중합이 작으면 0, 그렇지 않으면 1과 같은 방식으로 출력값을 내보낸다. [고3 2017학년도 6월 16-19]

진동자에서 질량 민감도는 주파수의 변화 정도를 측정된 질량으로 나눈 값인데, 수정 진동자의 질량 민감도는 매우 크다. [고3 2024학년도 9월 8-11]

수정 진동자의 주파수 변화 정도를 농도로 나누면 농도에 대한 민감도를 구할 수 있다. [고3 2024학년도 9월 8-11]

유류분은 피상속인의 무상 처분 행위가 없었다고 가정할 때 상속인들이 상속받을 수 있었을 이익 중 법으로 보장된 부분이다. [고3 2023학년도 9월 10-13]

이중차분법은 시행집단에서 일어난 변화에서 비교집단에서 일어난 변화를 뺀 값을 사건의 효과라고 평가하는 방법이다. [고3 2023학년도 6월 14-17]

이렇게 정해진 유류분 부족액을 근거로 반환 대상인 지분을 계산할 때는, 시가 상승의 원인이 무엇이든 상속 개시 당시의 시가를 기준으로 해야 한다. [고3 2023학년도 9월 10-13]

체내에서 생성한 열량은 일정한 체온에서 체외로 발산되는 열량과 같다. [2023학년도 수능 14-17]

법인세는 국가가 기업으로부터 걷는 세금 중 가장 중요한 것으로, 재화나 서비스의 판매 등을 통해 거둔 수입에서 제반 비용을 제외하고 남은 이윤에 대해 부과하는 세금이라 할 수 있다. [고3 2021학년도 6월 29-33]

바젤위원회는 위험가중자산을 신용 위험에 따른 부분과 시장 위험에 따른 부분의 합으로 새로 정의하여 BIS 비율을 산출하도록 하였다. [2020학년도 수능 37-42]

위험가중자산에 대한 기본자본의 비율이 최소 6%가 되게 보완하여 자기자본의 손실 복원력을 강화하였다. [2020학년도 수능 37-42]

민감도는 시료에 목표 성분이 존재하는 경우에 대해 키트가 이를 양성으로 판정한 비율이다. [고3 2019학년도 6월 35-38]

특이도는 시료에 목표 성분이 없는 경우에 대해 키트가 이를 음성으로 판정한 비율이다. [고3 2019학년도 6월 35-38]

장기의 환율은 자국 물가 수준을 외국 물가 수준으로 나눈 비율로 나타나며, 이를 균형 환율로 본다. [2018학년도 수능 27-32]

국내 통화량이 증가하여 유지될 경우 장기에서는 자국 물가도 높아져 장기의 환율은 상승한다. 이때 통화량을 물가로 나눈 실질 통화량은 변하지 않는다. [2018학년도 수능 27-32]

채널 부호화를 하기 전 부호의 비트 수를, 채널 부호화를 한 후 부호의 비트 수로 나눈 것을 부호율이라 한다. [2018학년도 수능 38-42]

음정이란 두 음의 음고 간의 간격을 말하며 높은 음고의 진동수를 낮은 음고의 진동수로 나눈 값으로 표현된다. [고3 2017학년도 6월 28-33]

공정한 보험에서는 구성원 각자가 납부하는 보험료와 그가 지급받을 보험금에 대한 기댓값이 일치해야 하며 구성원 전체의 보험료 총액과 보험금 총액이 일치해야 한다. [2017학년도 수능 37-42]

보험금에 대한 기댓값은 사고가 발생할 확률에 사고 발생 시 수령할 보험금을 곱한 값이다. [2017학년도 수능 37-42]

보험금에 대한 보험료의 비율(보험료 / 보험금)을 보험료율이라 하는데, 보험료율이 사고 발생 확률보다 높으면 구성원 전체의 보험료 총액이 보험금 총액보다 더 많고, 그 반대의 경우에는 구성원 전체의 보험료 총액이 보험금 총액보다 더 적게 된다. [2017학년도 수능 37-42]

공정한 보험에서는 보험료율과 사고 발생 확률이 같아야 한다. [2017학년도 수능 37-42]

인과 - 다른 인과들 : A와 B 간의 인과가 있지만 비례증감 관계도 아니고, 조건-효과 관계도 아닌 인과 관계를 다룬다. 문제에서는 종종 원인 혹은 결과만 교묘히 바꾸어 헷갈리게 출제하기 때문에 원인과 결과를 분명히 구분할 줄 알아야 한다. 무엇이 원인 부분이고 무엇이 결과 부분인지 체크하고 넘어가자.

1) 오버슈팅은 물가 경직성 또는 금융 시장 변동에 따른 불안 심리 등에 의해 촉발되는 것으로 알려져 있다. [2018학년도 수능 27-32]

→ 원인 : 물가 경직성, 불안 심리

결과 : 오버슈팅

2) 케플러는 우주의 수적 질서를 신봉하는 형이상학인 신플라톤주의에 매료되었기 때문에, 태양을 우주 중심에 배치하여 단순성을 추구한 코페르니쿠스의 천문학을 받아들였다. [2019학년도 수능 27-32]

→ 원인 : 신플라톤주의에 매료

결과 : 코페르니쿠스의 천문학을 받아들임

3) 고유 주파수란 어떤 물체가 갖는 고유한 진동 주파수인데, 같은 재료의 압전체라도 압전체의 모양과 크기에 따라 달라진다. [2024학년도 9월 8-11]

→ 원인 : 압전체의 모양과 크기

결과 : 고유 주파수의 변화

그는 사회의 구조와 규범에 따라 주된 실존 양식이 무엇인지 결정된다고 보았기 때문이다. [고1 2022년 9월 22-25]

밀도가 낮은 공기가 상승하면 밀도가 높은 공기, 즉 온도가 낮은 공기가 아래로 이동하게 된다. [고1 2022년 9월 30-34]

사람은 개인마다 경험이 다르기 때문에 대상에서 형성하는 의미도 달라져 그 결과 서로 다른 지평을 갖게 되고, 지평이 넓어질수록 개인의 인식 범위는 확장된다. [고2 2022년 9월 33-37]

이러한 몸의 대응 능력을 '몸틀'이라 하며, 몸틀은 지각 경험들이 시간이 흐르면서 누적됨으로써 형성된다. [고2 2022년 9월 33-37]

또한 제한능력자의 법률행위로 인해 불이익을 당할 수 있는 상대방을 보호하는 제도 역시 규정함으로써 제한능력자의 계약 상대방이 입을 수 있는 손해를 최소화하고 있다. [고1 2021년 9월 16-19]

그는 친족 간의 결혼 금지로 인해 우리 부족의 사람이 다른 부족으로 넘어가고, 새로운 사람이 우리 부족에 들어오는 호혜적 관계가 형성되었으며, 이를 통해 부족 간의 호혜적 교환이 가능해져 사회적 공동체가 형성되었다고 주장한다. [고1 2021년 9월 30-33]

자기의식을 망각한다면 우리는 친구도 친구인 줄 모를 것이므로, 그의 입장에서는 기억이 없다면 세계도 존재할 수 없는 것이었다. [고2 2021년 9월 26-30]

한편 아트로핀은 부교감 신경의 시냅스에서 아세틸콜린 대신에 아세틸콜린 수용체와 결합함으로써 아세틸콜린의 작용을 방해한다. [고2 2021년 9월 35-38]

테트로도톡신은 신경 세포의 나트륨 이온 통로를 차단함으로써 나트륨 이온이 들어오지 못하기 때문에 활동 전위가 일어나지 않는다. 이로 인해 아세틸콜린이 분비되지 않는다. [고2 2021년 9월 35-38]

은행은 예금의 일부만 보유하고 그 나머지를 대출하면서 예금통화라는 화폐를 창출하게 되고, 대출받은 사람들은 재화와 서비스를 구입할 수 있는 능력이 커지게 된다. [고1 2020년 9월 16-20]

그녀는 인간의 활동으로 '노동', '작업', '행위'를 제시하고 이 세 가지 활동이 서로 긴밀하게 연결되어 인간의 실존을 가능하게 한다고 말한다. [고1 2020년 9월 37-41]

그런데 이러한 가정에서의 경제 활동이 근대에 이르러 사회가 출현하고 시장이 발달하면서 공적 영역으로 옮겨 갔고 이로 인해 공적 영역과 사적 영역의 경계가 허물어졌다. [고1 2020년 9월 37-41]

특정 사물의 상징은 기호 체계, 즉 사회적 상징체계 속에서 유동적이며, 따라서 상징체계 변화에 따라 욕구도 유동적이다. [고1 2022년 3월 16-20]

그런데 사회적 지배 양식이 강화되면서 계몽의 두 번째 단계인 인간에 대한 지배로 이어진다. [고2 2022년 3월 20-25]

이처럼 아도르노는 근대 문명이 파국으로 치닫게 된 원인을 계몽의 전개 과정, 즉 인간의 자기 보존에서 시작되어 자연에 대한 지배와 인간의 내적 자연에 대한 지배로까지 이어진 결과로 보았다. [고2 2022년 3월 20-25]

그런데 인간의 타고난 기질적 불완전성 때문에 우월성에 대한 추구는 자동적으로 열등감을 발생시키고, 그 결과 인간은 누구나 열등감을 갖게 된다. [고2 2022년 6월 26-30]

　　또한 백성은 군주에 대한 신망을 지닐 수도 버릴 수도 있는 존재이므로, 군주는 백성을 두려워하는 외민(畏民) 의 태도를 지녀야 함을 역설했다. [고1 2021년 3월 16-20]

　　먼저 탄수화물은 식사를 통해 섭취된 후 소장에서 분해되면, 포도당으로 변해 혈액 속으로 흡수된다. 그러면 혈중 포도당의 농도가 높아지고, 이를 줄이기 위해 췌장에서 '인슐린'이라는 호르몬이 분비된다. [고1 2021년 6월 16-20]

　　우리가 어떤 제품을 사용할 때마다 나는 특정 소리를 반복해서 들으면 그 소리가 기억에 남아서 해당 제품의 이미지를 형성하게 된다. [고1 2020년 3월 4-7]

　　이렇게 볼 때 국내 산업을 보호할 목적으로 부과된 관세는 사회적 잉여를 감소시키고, 해당 제품에 대한 국내 소비를 줄어들게 한다. [고1 2020년 3월 38-42]

　　그런데 이렇게 주문 단위가 커질수록 재고량이 증가하게 되고, 재고량 증가는 변화에 민첩하게 대응하지 못하게 하는 원인이 된다. [고1 2020년 6월 21-25]

그리고 이처럼 발주 실행 시간이 길어지면 주문량이 많아지고, 이는 재고량 증가로 이어질 수 있다. [고1 2020년 6월 21-25]

서터 속도를 빠르게 하면 서터가 열렸다 닫히는 시간이 짧아지고, 렌즈를 통해 들어오는 빛의 양이 줄어듭니다. [고2 2020년 3월 1-3]

한편 약을 장기간 남용하게 되면 수용체의 민감도가 떨어지게 되어, 결과적으로 기존과 동일한 효과를 내기 위해서 더 많은 약을 필요로 하게 되는 내성이 생길 수 있다. [고2 2020년 3월 33-37]

프로이트에 따르면 인간은 성적 본능, 공격성 등과 같은 쾌락 의지를 원초적 욕구로 갖는데, 어린 시절에 이러한 쾌락 의지가 좌절되어 무의식 속에 억압되어 있다가 이후 신경증을 유발한다. [고2 2022년 6월 26-30]

방수의 배출 여부와 관계없이 섬모체는 계속 방수를 만들어내기 때문에 결국 과도한 방수로 안압이 높아진다. [고2 2022년 6월 38-42]

조선은 중화사상을 수용하여 한족 왕조인 명나라의 문화를 받아들이는 것을 당연시하였다. [고1 2022년 6월 16-20]

소리가 들린다는 것은 매질의 진동이 내이에 도달하여 달팽이관 속 림프액을 진동시켜 섬모가 흔들리고, 이로 인해 발생한 전기 신호가 청각 신경을 따라 뇌에 전달됨을 의미한다. [고1 2022년 6월 21-25]

이에 따라 카드 회원 수가 늘어나면 가맹점들의 효용이 증가하기 때문에 가맹점은 높은 결제 건당 수수료를 지불하더라도 카드 결제 시스템을 이용하게 된다. [고1 2022년 11월 38-41]

하지만 물속에서 부유하는 미세한 콜로이드 입자들은 수산화 이온과의 결합 등으로 인해 음(-) 전하를 띠고 있어 서로를 밀어내는 전기적 반발력의 영향을 받기 때문에 일정 거리 이하로 입자들의 거리가 좁혀지지 않는다. [고2 2022년 11월 22-25]

먼저 아이스팩을 소각할 경우, 고흡수성 수지의 특성상 불완전 연소로 인해 그을음과 일산화탄소가 발생하여 대기를 오염시킨다. [고2 2021년 11월 8-10]

센서에 전도성 물체가 접촉하게 되면 물체의 전하량과 패널의 전하량의 차이에 의해 전압이 변화하고, 이로 인해 형성된 전기장은 정전용량을 변화시킨다. [고2 2021년 11월 8-10]

센서가 특정 지점의 접촉을 인식하면 센서의 각 행과 열의 끝에 배치된 감지회로가 접촉 지점에서 일어난 정전 용량의 변화를 감지하고, 이를 바탕으로 행과 열의 교차점인 접촉 위치를 정교하고 빠르게 파악할 수 있다. [고2 2021년 11월 8-10]

전기장이 물체에 흡수되면 구동 라인과 감지 라인 사이에 형성된 상호 정전용량이 감소하며 전기장의 크기 역시 줄어든다. [고2 2021년 11월 8-10]

결국 패널에는 접촉 전과는 다른 전기장의 흐름이 나타나 상호 정전용량이 변화하고 구동 라인과 감지 라인의 교차점인 터치좌표쌍이 인식된다. [고2 2021년 11월 8-10]

피보험이익이 없는 자에게 보험금 청구권을 인정하면, 보험계약이 도박처럼 될 수 있고 고의로 보험 사고를 유발하는 보험 범죄의 가능성도 생길 수 있다. [고1 2021년 11월 20-24]

이렇게 주입된 방사성추적자는 에너지원으로 쓰이는 포도당과 유사하기 때문에, 대사량이 높아서 많은 에너지원을 필요로 하는 비정상 세포에 다량 흡수된다. [고1 2021년 11월 28-32]

그는 인간이 도덕적 존재가 될 수 있는 것은 이성이 인간에게 도덕법칙을 의무로 부여하기 때문이라고 말한다. [고1 2021년 11월 37-41 (가)]

범죄인 인도가 원만히 진행되려면 상대국의 사법제도에 대한 상호 신뢰가 필요하므로, 범죄인인도조약은 주로 양자조약의 형태로 발달하였으며 범세계적인 조약은 성립되지 않고 있다. [고2 2020년 11월 20-25]

이때 방출되는 전자는 상대적으로 속도가 느려 높은 에너지를 가지지 못하므로, 선형가속기에서는 음(-)전하를 띤 전자가 양(+)전하를 띤 양극 쪽으로 움직이려는 전기적인 힘의 원리를 활용하여 전자를 가속시킨다. [고2 2020년 11월 26-30]

이 기포들은 식용유에서 튀김 재료로의 높은 열전달률로 인해 순간적으로 많은 열이 전달되어 생겨난 것인데 재료 표면의 수분이 수증기로 변해 식용유 속에서 기포의 형태가 된 것이다. [고1 2020년 11월 29-33]

수분이 수증기의 형태로 튀김 재료에서 빠져나감에 따라 재료 안쪽의 수분들은 빈자리를 채우기 위해 표면 쪽으로 이동한다. [고1 2020년 11월 29-33]

그 결과 지속적으로 재료의 수분은 기포로 변하고 이로 인해 재료는 수분량이 줄어들면서 바삭한 식감을 지니게 된다. [고1 2020년 11월 29-33]

또한 튀김 재료 표면의 기포들은 재료와 식용유 사이에서 일종의 공기층과 같은 역할을 해 식용유가 재료로 흡수되는 것을 막아서 튀김을 덜 기름지게 한다. [고1 2020년 11월 29-33]

그리고 재료 표면에 생성된 기포들을 거쳐 열전달이 일어나기 때문에 기포들은 재료 표면이 빨리 타 버리지 않게 하고 튀김 재료의 안쪽까지 열이 전달되어 재료가 골고루 잘 익게 한다. [고1 2020년 11월 29-33]

보이스 코일에 교류 전류를 가하면 내부 자기장에 의해 보이스 코일에 인력과 척력이 교대로 작용하여 보이스 코일에 진동이 발생한다. [고1 2022년 6월 21-25]

반응물의 흡착 세기는 금속의 종류에 따라 달라진다. [고3 2024학년도 6월 8-11]

작은 금속 입자들을 표면적이 넓고 열적 안정성이 높은 지지체의 표면에 분산하면 소결로 인한 촉매 활성 저하가 억제된다. [고3 2024학년도 6월 8-11]

이후 원판의 양면에 전극을 만든 후 (+)와 (-) 극이 교대로 바뀌는 전압을 가하면 수정이 진동한다. [고3 2024학년도 9월 8-11]

혈액 응고는 단백질로 이루어진 다양한 인자들이 관여하는 연쇄 반응에 의해 일어난다. [고3 2023학년도 6월 10-13]

독일의 마르크화와 일본의 엔화에 대한 투기적 수요가 증가했고, 결국 환율의 변동 압력은 더욱 커질 수밖에 없었다. [2022학년도 수능 10-13]

과거제 출신의 관리들이 공동체에 대한 소속감이 낮고 출세 지향적이기 때문에 세습 엘리트나 지역에서 천거된 관리에 비해 공동체에 대한 충성심이 약했던 것이다. [고3 2021학년도 6월 16-21]

정책 금리 인상으로 시장 금리도 높아지면 가계 및 기업에 대한 대출 감소로 신용 공급이 축소된다. 신용 공급의 축소는 경제 내 수요를 줄여 물가를 안정시키고 경기를 진정시킨다. [고3 2020학년도 6월 27-31]

평범한 사람들의 삶의 모습을 중점적인 주제로 다루었던 미시사 연구에서 재판 기록, 일기, 편지, 탄원서, 설화집 등의 이른바 '서사적' 자료에 주목한 것도 사료 발굴을 위한 노력의 결과이다. [고3 2020학년도 9월 21-26]
→ 사료 발굴을 위한 노력 - 서사적 자료에 주목

시각 매체의 확장은 사료의 유형을 더욱 다양하게 했다. 이에 따라 역사학에서 영화를 통한 역사 서술에 대한 관심이 일고, 영화를 사료로 파악하는 경향도 나타났다. [고3 2020학년도 9월 21-26]

예를 들어 다큐멘터리 영화는 피사체와 밀접한 연관성을 갖기 때문에 피사체의 진정성에 대한 믿음을 고양하여 언어적 서술에 비해 호소력 있는 서술로 비춰지게 된다. [고3 2020학년도 9월 21-26]
 → 피사체와의 연관성 – 믿음 고양 – 호소력 있는 서술

영화는 공식 제도가 배제했던 역사를 사회에 되돌려 주는 '아래로부터의 역사'의 형성에 기여한다. [고3 2020학년도 9월 21-26]

기계적 운동의 인과 관계를 설명하려면 원인을 찾는 과정이 꼬리에 꼬리를 물고 이어지게 된다. 따라서 이러한 무한 소급을 끝맺으려면 운동의 최초 원인을 상정해야만 한다. [고3 2019학년도 6월 16-21]

한편 보장 매도자의 지급 능력이 우수할수록 보장 매입자는 유사시 손실을 보다 확실히 보전받을 수 있으므로 보다 큰 CDS 프리미엄을 기꺼이 지불하는 경향이 있다. [고3 2019학년도 9월 21-25]

탐침과 시료의 거리가 매우 가까우면 양자 역학적 터널링 효과에 의해 둘이 접촉하지 않아도 전류가 흐른다. [고3 2019학년도 9월 29-32]

따라서 용이한 관찰을 위해 STM을 활용한 실험에서는 관찰하려고 하는 시료와 기체 분자의 접촉을 최대한 차단할 필요가 있어 진공이 요구되는 것이다. [고3 2019학년도 9월 29-32]

이 과정에서 생성된 양이온은 전기력에 의해 음극으로 당겨져 음극에 박히게 되어 이동 불가능한 상태가 된다. [고3 2019학년도 9월 29-32]

이렇게 들러붙은 타이타늄은 높은 화학 반응성 때문에 여러 기체 분자와 쉽게 반응하여, 떠돌아다니던 기체 분자를 흡착한다. [고3 2019학년도 9월 29-32]

생산학파와 달리 캠벨은 새로운 테크놀로지의 발달 덕분에 이런 환상이 단순한 몽상이 아니라 실현 가능한 현실이 될 것이라는 기대를 불러일으킨다고 보았다. [고3 2019학년도 9월 33-38]

그는 새로운 테크놀로지의 도입이 노동의 소외를 심화한다는 점은 인정하였다. [고3 2019학년도 9월 33-38]
→ 보조사 '는' : 그 외 다른 내용이 나올 것임을 짐작할 수 있다.

벤야민은 이러한 체험이 근대 도시인에게 충격을 가져다준다고 보았다. 또한 이러한 충격 체험을 통해 새로운 감성과 감각이 일깨워진다고 말했다. [고3 2019학년도 9월 33-38]

관객은 영화가 제공하는 시각적 무의식을 체험함으로써 일상적 공간에 대해 새로운 의미를 발견하게 된다. [고3 2019학년도 9월 33-38]

케플러는 우주의 수적 질서를 신봉하는 형이상학인 신플라톤주의에 매료되었기 때문에, 태양을 우주 중심에 배치하여 단순성을 추구한 코페르니쿠스의 천문학을 받아들였다. [2019학년도 수능 27-32]

오버슈팅은 물가 경직성 또는 금융 시장 변동에 따른 불안 심리 등에 의해 촉발되는 것으로 알려져 있다. [2018학년도 수능 27-32]

18세기에는 열의 실체가 칼로릭(caloric)이며 칼로릭은 온도가 높은 쪽에서 낮은 쪽으로 흐르는 성질을 갖고 있는, 질량이 없는 입자들의 모임이라는 생각이 받아들여지고 있었다. 칼로릭 이론에 따르면 찬 물체와 뜨거운 물체를 접촉시켜 놓았을 때 두 물체의 온도가 같아지는 것은 칼로릭이 뜨거운 물체에서 차가운 물체로 이동하기 때문이라는 것이다. [고3 2017학년도 9월 31-34]

인과 - 조건효과 : 조건-효과 문장이란, 'A를 하면 B가 된다' 와 같이 가정문 형식의 문장을 말한다. 조건-효과 문장을 효과적으로 독해하기 위해선 조건 부분과 효과 부분을 반드시 구분해 주어야 한다. 따라서 앞선 문장에서는 A가 조건, B가 효과가 된다. 조건-효과 문장은 조건이 실현됨에 따라 효과가 나타나는 것이기 때문에 결국 인과 관계이므로 앞서 학습한 인과 문장들과 마찬가지로 문제에서 조건 혹은 효과 부분을 미세하게 다르게 내는 경우가 많다. 기억이 안 난다면 표시해둔 문장으로 돌아가서 체크하는 습관을 기르자.

1) 손해 배상 예정액이 정해져 있었다면 채권자는 손해 액수를 증명하지 않아도 손해 배상 예정액만큼 손해 배상을 받을 수 있다. [2023학년도 수능 10-13]

→ 조건 : 손해 배상 예정액이 정해져 있었다면

효과 : 채권자가 손해 액수를 증명하지 않아도 손해 배상 예정액만큼 손해 배상금을 받음

손해 배상 예정액이 정해져 있다는 사실이 법이 효과를 발휘하기 위한 조건, 즉 원인이 되는 것이고 배상금을 받는 사실이 효과, 즉 결과이다.

2) 이행 불능이 채무자의 과실 때문에 일어난 것이라면 채무자가 채무 불이행에 대한 책임을 져야 한다. [2019학년도 수능 16-20]

→ 조건 : 이행 불능이 채무자의 과실

효과 : 채무자가 채무 불이행에 대한 책임을 져야 함

3) 계약 당시에 보험사가 고지 의무 위반에 대한 사실을 알았거나 중대한 과실로 인해 알지 못한 경우에는 보험 가입자가 고지 의무를 위반했어도 보험사의 해지권은 배제된다. [2017학년도 수능 37-42]

→ 조건 : 보험사가 계약 당시에 고지 의무 위반에 대한 사실을 알았거나 중대한 사실로 인해 알지 못함

효과 : 보험사의 해지권 배제

그런데 법률행위는 성립하였지만, 효력요건이 불충분하여 그 법률행위가 성립한 당시부터 법률상 당연히 그 효력이 발생하지 않는 경우 그 법률행위는 무효가 된다. [고1 2023년 9월 30-33]

무효는 이미 성립된 법률행위를 전제로 하기 때문에 이러한 전환이나 추인이 가능한 것이며, 만약 법률행위가 불성립했다면 전환이나 추인은 할 수 없다. [고1 2023년 9월 30-33]

민법은 원칙적으로 무효행위의 추인을 인정하지 않지만, 무효 원인이 소멸한 상태이고 당사자가 기존 법률행위가 무효임을 알고 추인한 경우에 한해서는 추인을 인정하고 있다. [고1 2023년 9월 30-33]
　→ '~에 한해서는'이라는 조건 표현을 통해 원칙과 예외 사항을 구분하고 있다.

결국 원본 이미지의 픽셀 수는 최대로 삽입 가능한 비트 수와 같기 때문에 원본 이미지의 픽셀 수가 워터마크 이미지의 전체 비트 수보다 적다면 워터마크 이미지의 데이터 일부는 삽입할 수 없게 된다. [고1 2023년 9월 34-38]

당류를 과다 섭취할 경우 비만과 고혈압의 발생률이 각각 1.39배, 1.66배 늘어난다는 연구 결과가 있습니다. [고2 2023년 9월 8-10]
　→ 당류 과다 섭취(조건)로 비만, 고혈압 발생률 증가(효과)라는 인과관계가 드러난다.

피해자는 해당 언론 보도 등이 있음을 안 날로부터 3개월 이내에 정정 또는 반론 보도를 청구할 수 있는데, 해당 언론 보도 등이 있은 후 6개월이 지났을 때에는 이를 청구할 수 없다. [고2 2023년 9월 20-25]

→ 법 지문에서는 일정 시간이 지난 후 법적 효력이 사라지는 등의 진술 및 상황이 많이 부여되기 때문에 이를 잘 파악할 필요가 있다.

민법상 정정 보도 청구권에 따르면 언론 보도 등으로 명예를 훼손당한 사람은 언론 보도가 있음을 안 날로부터 3년 이내에 법원에 소를 제기할 수 있는데, 해당 언론 보도가 있은 후 10년이 지났을 때에는 불가하다. [고2 2023년 9월 20-25]

실천하는 것과 평상시에 마음을 수양하는 것을 통해 타인에 대한 지극한 사랑이라는 최종 목적을 이루고자 한 것이다. [고2 2023년 9월 35-38]

→ 실천과 마음 수양(조건)을 통해 타인에 대한 지극한 사랑(효과)를 이룰 수 있음을 인과관계로 표현했다.

우연히 기존의 저작물과 유사하더라도 베끼지 않고 독자적으로 창작한 것이라면 저작권을 보호받을 수 있다. [고1 2022년 9월 16-21]

하지만 물질이 고체, 액체, 기체로 변화하는 상태변화가 일어나는 동안 온도는 변하지 않고 물질이 주변에서 에너지를 흡수하거나 주변으로 방출하는데 이때의 에너지를 숨은열이라고 한다. [고1 2022년 9월 30-34]

→ 물질의 상태변화 발생(조건)은 숨은열 방출(효과)를 유발한다.

타임아웃은 수신 측이 송신 측에 응답을 하지 않거나, 송신 측과 수신 측이 주고받는 데이터가 상대측에 도달하지 못하고 전송이 중단된 경우에 발생한다. [고2 2022년 9월 28-32]

하이브리드차는 출발할 때에는 전기에너지를 이용하여 모터를 구동하고 주행 시에는 주행 상황에 따라 모터와 엔진을 적절히 이용하므로 일반 내연기관차보다 연비가 좋고 배기가스가 저감되는 효과가 있다. [고1 2021년 9월 38-41]

헌법재판소의 결정은 국가 권력을 포함한 헌법의 적용을 받은 모든 대상들이 이를 존중하는 조건하에 실현된다. [고2 2021년 9월 20-25]

하지만 같은 라인에 저장되어야 하는 서로 다른 블록을 CPU가 번갈아 요청하는 경우, 계속 캐시 미스가 발생하여 반복적으로 블록이 교체되므로 시스템의 효율이 떨어질 수 있다. [고1 2020년 9월 32-36]

즉, 독점기업이 생산량을 늘리면 종전 판매 가격도 함께 낮춰야 하기 때문에, 독점기업의 한계수입은 가격보다 항상 낮다. [고2 2023년 6월 33-38]

만일 한계수입이 한계비용보다 높으면 생산량을 증가시키고, 반대의 경우 생산량을 감소시킴으로써 한계수입과 한계비용이 일치하는 지점에서 최적 생산량을 결정한다. [고2 2023년 6월 33-38]

냉매는 노즐을 통과할 때 속도가 증가하여 냉매의 내부 압력은 감소한다. [고1 2023년 11월 22-25]

이 방식에서 수신 측은 데이터를 수신 윈도우에 하나씩 저장하는데, 송신 측으로부터 오류가 없는 데이터를 수신한 경우에는 무조건 ACK를 보내지만 오류가 있는 데이터를 수신한 경우에는 NAK를 보내거나 무시할 수 있다. [고2 2022년 9월 28-32]

군주나 관료가 지배자가 아니라 백성을 위해 일하는 봉사자일 때 이들의 지위나 녹봉은 그 정당성이 확보된다고 여긴 것이다. [고1 2021년 3월 16-20]

레비나스는 타자의 호소를 무조건적으로 받아들이고 응답할 때 기존과는 다른 참다운 주체의 모습으로 나아가게 된다고 보았다. [고2 2021년 6월 16-20]

내용증명을 보낸 날짜로부터 6개월 이내에 청구나 압류, 가압류, 가처분 등을 해야만 소멸시효가 중단되는 효력이 발생한다. [고2 2021년 6월 21-25]

만약 육성자가 자신이 개량한 식물의 품종보호권을 얻고 싶다면 먼저 해당 품종이 품종보호 요건을 충족하고 있는지를 검토하여야 하는데, 그 요건에는 크게 신규성, 구별성, 안정성 등이 있다. [고2 2022년 6월 16-20]

그런데 행정 기관의 선행조치가 행해진 이후 선행조치에 법적 하자가 발견되면, 행정 기관은 선행조치에 반하는 다른 조치를 취하게 되고, 이 경우 국민의 권익이 침해당할 수 있다. [고2 2023년 11월 22-25]

국민이 행정 기관의 선행조치가 있었음을 인식하지 못했거나, 선행조치와 관련된 사항이 사후에 변경될 수 있는 가능성을 행정 기관이 국민에게 미리 알린 경우에는 신뢰 보호를 주장할 수 없다. [고2 2023년 11월 22-25]

튜링 기계는 테이프의 시작 모습, 기계의 시작 상태, 그리고 테이프에서 헤드의 시작 위치가 정해지면 주어진 5순서열의 모임 중 수행 가능한 5순서열이 있을 경우, 이에 따라 작동하게 된다. [고1 2022년 11월 25-29]

그 결과 콜로이드 입자들이 불안정화되고 물 분자 운동이나 물의 흐름에 의해 움직이다가 반데르발스 힘이 작용할 정도로 가까워지게 되면 서로 응집하여 침전이 가능한 작은 플록을 형성하게 된다. [고2 2022년 11월 22-25]

이러한 가교 작용 과정에서는 침전에 용이한 큰 플록을 만들기 위해 플록이 다른 플록과 연결될 때 접촉시간을 늘려 주고, 연결이 깨지지 않도록 물을 천천히 저어 주어야 한다. [고2 2022년 11월 22-25]

한편, 이와 같은 과정을 거쳐 탁도가 낮아진 물에, 전기적 중화 작용과 가교 작용에서 반응하지 못한 응집제가 많이 남아 있게 되면 전기적으로 중화되었던 콜로이드 입자들이 오히려 양(+) 전하를 띠게 된다. [고2 2022년 11월 22-25]

만약 분쟁 당사국들이 분쟁 해결 기구를 선택하지 않았거나 양국이 동일한 선택을 하지 않은 경우에는 별도의 합의를 하지 않는 한, 사건이 중재재판소에 회부된다. [고2 2021년 11월 23-27]

결국 사건이 회부된 중재재판소의 본안 소송의 관할권 존재 가능성이 예측되고, 분쟁 해결이 긴급하여 잠정조치의 필요성이 인정되면, 분쟁 당사국의 이익을 보호하거나 해양 환경의 중대한 피해를 방지하기 위해 국제 해양법 재판소가 잠정조치 재판을 통해 잠정조치를 명령할 수 있는 것이다. [고2 2021년 11월 23-27]

그런데 피청구국이 이런 자국민 불인도 조항에 따라 자국민 범죄인의 인도를 거절하고 범죄인을 처벌하지도 않으면, 결과적으로 범죄인이 처벌을 면할 수 있다. [고2 2020년 11월 20-25]

그런데 실제로 실험을 해보면 한 물질 내에서 일어나는 전도의 경우에 다른 조건이 동일하더라도 물질의 종류가 다르면 열전달률이 다르게 나타난다. [고1 2020년 11월 29-33]

작은 금속 입자들을 표면적이 넓고 열적 안정성이 높은 지지체의 표면에 분산하면 소결로 인한 촉매 활성 저하가 억제된다. [고3 2024학년도 6월 8-11]

활성화는 칼슘 이온과의 결합을 통해 이루어지는데, 이들 혈액 단백질이 칼슘 이온과 결합하려면 카르복실화되어 있어야 한다. [고3 2023학년도 6월 10-13]

무상 처분자가 사망하면 상속이 개시되고, 그의 상속인들이 유류분을 반환받을 수 있는 권리인 유류분권을 행사할 수 있기 때문이다. [고3 2023학년도 9월 10-13]

피상속인이 상속 개시 당시에 가졌던 재산으로부터 상속받은 이익이 있는 상속인은 유류분에 해당하는 이익의 일부만 반환받을 수 있다. [고3 2023학년도 9월 10-13]

손해 배상 예정액이 부당히 과다한 경우에는 법원은 적당히 감액할 수 있다. [2023학년도 수능 1-3]

일반적으로 급부가 이행되지 않아 채권자에게 손해가 발생한 경우 채무자는 자신의 고의나 과실에서 비롯된 것이 아님을 증명하지 못하는 한 채무 불이행 책임을 진다. [2021학년도 수능 22-25]

만약 타인이 고의나 과실로 예약상 권리자가 가진 권리 실현을 방해했다면 예약상 권리자는 그에게도 책임을 물을 수 있다. [2021학년도 수능 22-25]

선의취득으로 양수인이 소유권을 취득하면 원래 소유자는 원하지 않아도 소유권을 상실하게 된다. [고3 2020학년도 9월 27-31]

따라서 기체 분자들을 진공 통에서 뽑아내거나 진공 통 내부에서 움직이지 못하게 고정하면 진공 통 내부의 기체 압력을 낮출 수 있다. [고3 2019학년도 9월 29-32]

이행 불능이 채무자의 과실 때문에 일어난 것이라면 채무자가 채무 불이행에 대한 책임을 져야 한다. [2019학년도 수능 16-20]

고전 역학에 따르면, 물체의 크기에 관계없이 초기 운동 상태를 정확히 알 수 있다면 일정한 시간 후의 물체의 상태는 정확히 측정될 수 있으며, 배타적인 두 개의 상태가 공존할 수 없다. [고3 2018학년도 9월 27-32]

전송된 부호를 수신기에서 원래의 기호로 복원하려면 부호들의 평균 비트 수가 기호 집합의 엔트로피보다 크거나 같아야 한다. [2018학년도 수능 38-42]

사람들의 결합체인 단체도 일정한 요건을 갖추면 법으로써 부여되는 권리 능력인 법인격을 취득할 수 있다. [고3 2017학년도 9월 35-39]

사단은 법인(法人)으로 등기되어야 법인격이 생기는데, 법인격을 가진 사단을 사단 법인이라 부른다. [고3 2017학년도 9월 35-39]

계약 당시에 보험사가 고지 의무 위반에 대한 사실을 알았거나 중대한 과실로 인해 알지 못한 경우에는 보험 가입자가 고지 의무를 위반했어도 보험사의 해지권은 배제된다. [2017학년도 수능 37-42]

인과 - 비례증감 : 'A가 증가하면 B가 감소한다'와 같이 하나가 증가 혹은 감소했을 때 다른 요소가 증가 혹은 감소한다면 이를 비례증감 관계라고 한다. 문제로 내기 굉장히 좋은 요소이니 기억해두어야 한다.

　- 선 이해 : A가 증가할 때 왜 B가 감소하는지에 대한 이해를 먼저 해야 한다. 이해가 곧 암기로 이어진다.

　- 후 필기 : 우리의 기억에는 한계가 있다. 비례증감과 관련된 문제가 나온다면 빠르게 그 부분으로 돌아갈 수 있어야 하므로 이해의 유무와 관계없이 작게 표시 정도는 해두자.

1) 일반적으로 고체 촉매에서는 반응에 관여하는 표면의 활성 성분 원자가 많을수록 반응물의 흡착이 많아 촉매 활성이 높아진다. [고3 2024학년도 6월 8-11]

　→ 고체 촉매에서 활성 성분 원자는 반응에 관여한다고 설명되어 있다. 반응에 관여하는 활성 성분 원자가 많으니 당연히 반응이 잘 될 것이고, 이는 반응물의 흡착으로 이어질 것이라고 이해한 후, 활성 성분 원자와 반응물의 흡착이 비례 관계라고 체크하고 넘어가면 된다.

2) 수정 진동자에 어떤 물질이 달라붙어 질량이 증가하면 고유 주파수에서 진동하던 수정 진동자의 주파수가 감소한다. [고3 2024학년도 9월 8-11]

→ 수정 진동자의 질량이 증가하면 수정 진동자의 주파수가 감소한다는 것은 그 자체로 이해하기 힘들다. 이렇게 직관적으로 이해하기 힘든 경우엔 어쩔 수 없이 체크만 하고 넘어가야 한다. 만약 수정 진동자의 질량과 수정 진동자의 주파수의 관계에 대해 이해를 요구하는 문제가 나온다면 이후에 추가 설명이 나올 것이고, 나오지 않는다면 추가 설명이 굳이 나오지 않을 수도 있다.

3) 19세기의 초기 연구는 체외로 발산되는 열량이 체표 면적에 비례한다고 보았다. [2023학년도 수능 14-17]

→ 열량은 체외를 통해 발산된다. 체표 면적은 체외의 면적을 뜻하기 때문에 면적이 많으면 더 많은 열량이 발산되는 것은 당연하다. 이렇게 먼저 이해를 해주고, 체외 발산 열량과 체표 면적 간의 비례 관계를 체크해두고 넘어가면 되겠다.

경기가 침체되어 가계의 소비가 줄어들면 시중의 제품이 팔리지 않아 기업은 생산 규모를 축소하게 된다. 그 결과 실업률이 증가하고 가계의 수입이 감소하면서 소비는 더욱 위축된다. [고1 2023년 3월 19-22]

→ 경기 침체에 따른 여러 결과들을 비례 관계를 통해 서술하였다.

이때 각 픽셀은 8비트의 데이터 중 왼쪽에 위치하는 상위 비트가 바뀔수록 그에 해당하는 정숫값의 변화가 크기 때문에 색상의 변화를 육안으로 인식하기 쉽고, 오른쪽 하위 비트가 바뀔수록 색상의 변화를 육안으로 인식하기 어렵다. [고1 2023년 9월 34-38]

나트륨 섭취량이 많은 상위 20%가 하위 20%에 비해 비만의 위험도가 성인은 1.2배 높아지는데, 청소년은 무려 1.8배 올라간다는 연구 결과가 있습니다. [고1 2022년 9월 8-10]

→ 나트륨 섭취량이 많을수록 비만의 위험도가 올라간다는 비례 관계와, 성인에 비해 청소년이 그 위험도 증가율이 높다는 비례 관계 두 가지가 한 문장에 엮여서 내재되어 있다.

여름에 석빙고 안에서 물질이 융해될 때 숨은열로 인해 에너지 교환이 일어난 주변 물질은 에너지가 감소한다. [고1 2022년 9월 30-34]

상품을 사려는 사람들이 많아져 시장 수요가 증가하여 상품 가격이 오른다면, 한계수입도 그만큼 동일하게 오른다. [고2 2020년 9월 16-21]

경기가 침체되어 가계의 소비가 줄어들면 시중의 제품이 팔리지 않아 기업은 생산 규모를 축소하게 된다. 그 결과 실업률이 증가하고 가계의 수입이 감소하면서 소비는 더욱 위축된다. [고1 2023년 3월 19-22]

유동성이 넘쳐날 경우 시중에 화폐가 흔해지는 상황이므로 화폐의 가치는 떨어지게 된다. [고1 2023년 3월 19-22]

이때 물은 팽이의 회전과 같이 회전 중심은 원주속도가 0이 되고 중심에서 멀어질수록 반지름에 비례하여 원주속도가 증가하는 분포를 보인다. [고1 2023년 6월 21-25]

의사 결정 비용은 투표자들의 동의를 구하는 데 드는 시간과 노력에 따른 비용을 의미하며, 찬성표의 비율이 높을수록 증가한다. 외부 비용은 어떤 안건이 통과됨에 따라 그 안건에 반대하였던 사람들이 느끼는 부담을 의미하며, 찬성표의 비율이 높아질수록 낮아지며 모든 사람이 찬성할 경우에는 0이 된다. [고1 2023년 6월 38-42]

상대를 이기고자 하는 데서 오는 고통이 클수록 상대가 강하다는 뜻이며, 이때 고통은 오히려 성장의 원동력이 된다. [고2 2023년 6월 21-25]

시장의 유일한 공급자인 독점기업이 생산량을 줄이면 시장가격이 상승하고, 반대의 경우 시장가격이 하락한다. [고2 2023년 6월 33-38]

보정의 정확도를 향상시키기 위해서는 통계 데이터의 양을 늘리는 것이 요구되지만, 이 경우 데이터 처리 속도가 감소하게 된다는 단점이 있다. [고2 2022년 3월 38-41]

원자핵을 구성하는 핵자들은 핵자당 결합 에너지가 클수록 더 강력하게 결합되어 있고 이는 원자핵이 더 안정된 상태라는 것을 의미한다. [고1 2021년 3월 26-30]

이러한 움직도르래를 타워크레인에서 추가적으로 사용할 때마다 동일한 무게의 중량물을 같은 높이로 들어 올릴 때 권상 장치가 사용하는 힘의 크기가 더 감소하지만, 권상 장치가 감아올리는 와이어로프의 길이는 더 길어지게 된다. [고2 2021년 3월 24-27]

이런 생각에 의거하여 미(美)는 마치 빛이 그 광원에서 멀어질수록 밝기가 약해지듯이, 일자에서 질료로 내려갈수록 점차 추(醜)에 가까워지게 된다. [고2 2021년 3월 32-36]

해당 상품을 구매하기 위한 지출이 소득에서 차지하는 비중이 높을수록 수요의 가격탄력성은 커진다. [고1 2021년 6월 33-37]

즉, 공급 사슬망에서 최종 소비자로부터 멀어질수록 점점 더 심하게 왜곡되는 현상이 발생하는 것이다. [고1 2020년 6월 21-25]

그리고 이러한 주문 변동폭은 '최종 소비자-소매점-도매점-제조업체-원자재 공급업체'로 이어지는 공급 사슬망에서 최종 소비자로부터 멀어질수록 더 증가하였다. [고1 2020년 6월 21-25]

그래서 전기 요금으로 발생한 원가의 총액은 조업도의 증가에 따라 비례하여 증가하고, 단위당 전기 요금은 조업도가 증가할수록 감소한다. [고1 2023년 11월 26-30]

냉매는 노즐을 통과할 때 속도가 증가하여 냉매의 내부 압력은 감소한다. [고1 2023 11월 22-25]

직접 네트워크 외부성이란 동일 집단 내에서 발생하는 것으로, 동일 집단에 속한 이용자의 규모가 커지면 집단 내 개별 이용자의 효용이 증가하는 특성이다. [고1 2022년 11월 38-41]

이와 달리 간접 네트워크 외부성이란 서로 다른 집단 간에 발생하는 것으로, 한쪽 이용자 집단의 규모가 커지면 반대쪽 이용자 집단의 효용이 증가하고, 한쪽 이용자 집단의 규모가 작아지면 반대쪽 이용자 집단의 효용이 감소하게 된다. [고1 2022년 11월 38-41]

카드 회원들이 가맹점에 미치는 간접 네트워크 외부성이 클수록, 카드 회사는 카드 회원 수를 늘리기 위해 낮은 연회비를 부과할 수 있다. [고1 2022년 11월 38-41]

카드 회원의 수요의 가격탄력성이 높은 경우에는 연회비가 오를 때 카드 회원 수가 크게 감소하고, 수요의 가격탄력성이 낮은 경우에는 변동이 크지 않다. [고1 2022년 11월 38-41]

사회무차별곡선 위의 모든 점은 동일한 사회 후생 수준을 나타내는데, 이 곡선이 원점에서 멀리 위치할수록 사회 후생 수준이 높다는 것을 나타낸다. [고2 2022년 11월 26-30]

이때 접촉이 정확하게 일어날수록 해당 지점에 전기장이 더 많이 줄어들게 된다. [고2 2021년 11월 8-10]

휘도란 빛의 집중 정도를 나타내는 것으로, 빛의 세기가 크면 클수록, 그리고 빛의 퍼짐이 작으면 작을수록 높은 휘도 값을 갖는다. [고2 2020년 11월 26-30]

전도가 일어나는 두 지점 사이의 온도 차이가 커질수록, 열이 전달되는 면적이 커질수록 열전달률은 높아지고, 전도가 일어나는 두 지점 사이의 거리가 멀어질수록 열전달률은 낮아진다. [고1 2020년 11월 29-33]

이때 전류의 방향이 바뀌는 주기를 짧게 할수록 주파수가 높아져 높은 음의 소리가 난다. [고1 2022년 6월 21-25]

일반적으로 수요의 가격탄력성이 비탄력적인 경우 가격이 상승하면 총수입도 증가하지만, 수요의 가격탄력성이 탄력적인 경우 가격이 상승하면 총수입은 감소한다. [고1 2021년 6월 33-37]

욕조의 소용돌이 중심과 가장 가까운 부분에서 최대 원주속도가 나오고, 소용돌이 중심에서 멀어져 반지름이 커짐에 따라 원주속도가 감소한다. [고1 2023년 6월 21-25]

일반적으로 고체 촉매에서는 반응에 관여하는 표면의 활성 성분 원자가 많을수록 반응물의 흡착이 많아 촉매 활성이 높아진다. [고3 2024학년도 6월 8-11]

수정 진동자에 어떤 물질이 달라붙어 질량이 증가하면 고유 주파수에서 진동하던 수정 진동자의 주파수가 감소한다. [고3 2024학년도 9월 8-11]

19세기의 초기 연구는 체외로 발산되는 열량이 체표 면적에 비례한다고 보았다. [2023학년도 수능 14-17]

혼합 기체에서 특정 기체의 농도가 클수록 더 작은 주파수에서 주파수가 일정하게 유지된다. [고3 2024학년도 9월 8-11]

독일의 마르크화와 일본의 엔화에 대한 투기적 수요가 증가했고, 결국 환율의 변동 압력은 더욱 커질 수밖에 없었다. [2022학년도 수능 10-13]

이때 정점의 개수가 많을수록, 해상도가 높아 출력 화소의 수가 많을수록 연산양이 많아져 연산 시간이 길어진다. [2021학년도 수능 34-37]

비콘들은 동일한 세기의 신호를 사방으로 보내지만 비콘으로부터 거리가 멀어질수록, 벽과 같은 장애물이 많을수록 신호의 세기가 약해진다. [고3 2020학년도 9월 38-41]

채권의 신용 등급은 신용위험의 변동에 따라 조정될 수 있다. 다른 조건이 일정한 가운데 신용 위험이 커지면 채권 시장에서 해당 채권의 가격이 떨어진다. [고3 2019학년도 9월 21-25]

이에 따라 다른 요인이 동일한 경우, 보장 매도자가 발행한 채권의 신용 등급이 높으면 CDS 프리미엄은 크다. [고3 2019학년도 9월 21-25]

진공이란 기체 압력이 대기압보다 낮은 상태를 통칭하며 기체 압력이 낮을수록 진공도가 높다고 한다. [고3 2019학년도 9월 29-32]

진공 통 내부의 온도가 일정하고 한 종류의 기체 분자만 존재할 경우, 기체 분자의 종류와 상관없이 통 내부의 기체 압력은 단위 부피당 떠돌아다니는 기체 분자의 수에 비례한다. [고3 2019학년도 9월 29-32]

이 시간은 시료의 표면과 충돌한 기체 분자들이 표면에 달라붙을 확률이 클수록, 단위 면적당 기체 분자의 충돌 빈도가 높을수록 짧다. 또한 기체 운동론에 따르면 고정된 온도에서 기체 분자의 질량이 크거나 기체의 압력이 낮을수록 단분자층 형성 시간은 길다. [고3 2019학년도 9월 29-32]

중앙은행이 채권을 매수하면 이자율은 하락하고, 채권을 매도하면 이자율은 상승한다. 이자율이 하락하면 소비와 투자가 확대되어 경기가 활성화되고 물가 상승률이 오르며, 이자율이 상승하면 경기가 위축되고 물가 상승률이 떨어진다. [고3 2018학년도 6월 22-25]

오버슈팅의 정도 및 지속성은 물가 경직성이 클수록 더 크게 나타난다. [2018학년도 수능 27-32]

어떤 기호 집합에서 특정 기호의 발생 확률이 높으면 그 기호의 정보량은 적고, 발생 확률이 낮으면 그 기호의 정보량은 많다. [2018학년도 수능 38-42]

재진술 : '재진술'은 말 그대로 다시 한번 진술하는 것이다. 지문에서 동일한 단어가 반복되어 나오는 경우, 현재 제시되고 있는 문장이 재진술일 가능성이 높기 때문에 앞에서 언급된 단어를 놓치지 않고 내려가면서 지문을 이해해야 한다. 다만 지시하는 의미는 같지만 다른 표현으로 다시 진술되는 경우도 많다. 따라서 지시하는 것이 같은 것끼리 찾아 묶어내는 연습이 필요하다. 지문 내에서 (문맥상으로) 동일한 단어를 찾으며 정보량을 줄여내는 것이 재진술의 핵심이다. 재진술은 주로 철학 지문이나 법 지문에서 많이 등장한다.

1)   그에 의하면 신체, 즉 몸은 의식과 결합하여 있는 '신체화된 의식'이라고 규정한다. [고2 2022년 9월 33-37]

  → 신체(A) = 몸(A') = '신체화된 의식'(A'')

후에 나오는 지문이나 문제에서는 신체(A)가 아닌 신체화된 의식(A'')을 사용하여 제시할 수 있기 때문에 동일하게 의미하는 바를 찾아 묶는 연습이 중요하다.

2) 반플라톤주의 철학자 들뢰즈는 플라톤이 원본의 성질을 재현한 정도에 따라 원본과 사본, 시뮬라크르로 위계적인 질서를 부여한다고 지적하며, 이러한 플라톤식 사유에는 주체가 이성을 통해 대상의 가치를 판단하고 재단하는 폭력성이 내재해 있다고 비판했다. 다시 말해 플라톤은 원본과의 유사성을 근거로 들어 진짜 유사와 가짜 유사를 구분 짓고 시뮬라크르만을 무가치한 것으로 폐기했다는 것이다. [고2 2022년 11월 16-21]

   → - 원본(A) = 진짜 유사(A')

      - 사본(B) = 가짜 유사(B')

      - 시뮬라르크(C)

문장이 길고 복잡해질수록 하나의 재진술이 아닌 여러 개의 재진술이 나타난다.

3) 미메시스란 세계를 바라보는 주체의 관념을 재현하는 것, 즉 감각될 수 없는 것을 감각 가능한 것으로 구현하는 것을 의미한다. 다시 말해 세잔의 작품은 눈에 보이는 특정의 사과가 아닌 예술가의 시선에 포착된 세계의 참모습, 곧 자연의 생명력과 그에 얽힌 농부의 삶 그리고 이를 응시하는 예술가의 사유를 재현한 것이 된다. [고3 2022년 9월 4-9]

   → 미메시스(A) = 세계를 바라보는 주체의 관념을 재현하는 것(A') = 감각될 수 없는 것을 감각 가능한 것으로 구현하는 것(A'')

그런데 등급 규격의 항목이 주로 크기, 모양 등 농산물의 외관과 관련되어 있어, 맛이나 영양에는 별다른 문제가 없는 농산물이 등급 외로 분류되는 경우가 생겨난다. 이러한 '등급 외 농산물'은 우리에게 '못난이 농산물'이라는 이름으로 잘 알려져 있다. [고1 2023년 9월 8-10]

청구권의 주체는 언론 보도의 '사실적 주장'에 대해 정정 보도와 반론 보도를 청구할 수 있는데, '사실적 주장'이라는 것은 증거에 의해서 그 존재 여부를 판단할 수 있는 사실 관계에 관한 주장을 의미한다. [고2 2023년 9월 20-25]

그는 인을 사람과 사람 사이에서 각자가 상대에게 마땅한 도리를 다하는 실천을 통해서 얻어지는 덕목이라고 해석하였다. 따라서 인은 다른 사람과 함께하지 않으면 성립하지 않는다. [고2 2023년 9월 35-38]
 → 사람과 사람 사이에서 ~ 얻어지는 덕목'을 '다른 사람과 함께하지 않으면 성립하지 않음'으로 재진술해 표현함. 이는 '따라서'라는 표지를 통해 더 명료화된다.

여기서 행위자는 단일한 의사 결정자로서의 국가이며, 모든 국가는 포괄적 합리성을 가지고 행동한다. [고2 2022년 9월 16-20]

그에 의하면 신체, 즉 몸은 의식과 결합하여 있는 '신체화된 의식'이라고 규정한다. [고2 2022년 9월 33-37]

새로운 음식을 먹으려면 위를 비워야 하며 음식물을 배설하지 못한다면 건강한 삶을 살아갈 수 없듯이, 과거의 기억들이 정신에 가득 차 있다면 무언가를 새롭게 인식하는 것은 불가능하다고 주장하였다. 그에 따르면 기억에만 집착하는 사람들은 새로운 것을 낯설고 불편한 것으로 여겨 변화와 차이를 긍정할 수 없기 때문에 현재를 행복하게 살아갈 수 없는 것이다. [고2 2021년 9월 26-30]

→ '새로운 음식 먹기 = 무언가를 새롭게 인식하는 것 = 변화와 차이를 긍정'이라는 추상적 개념의 구체화를 비유 및 재진술을 통해 보여 주고 있다.

그리하여 인간이 공유 상태인 어떤 사물에 노동을 부여하는 것은 공유물에 배타적 소유권을 첨가하는 것이 된다. 따라서 모든 개인은 노동을 통해 소유권의 주체가 될 수 있다. [고2 2020년 9월 37-41]

집과 일터의 경계가 뚜렷하지 않았던 전근대 사회와 달리 19세기 이후의 도시적 삶에서는 주거를 위한 사적 공간과 노동을 위한 공적 공간이 분리되었다. 여가를 즐길 수 있는 곳은 사적 공간으로, 경제적 활동을 하는 곳은 공적 공간으로 인식되었으며 이 둘의 관계는 내부와 외부, 실내와 거리의 관계에 대응된다. [고2 2023년 3월 26-30]

또한 헌법 제23조 제3항은 "공공필요에 의한 재산권의 수용·사용 또는 제한 및 그에 대한 보상은 법률로써 하되, 정당한 보상을 지급하여야 한다."라고 하여, '공공필요에 의한 재산권의 수용·사용 또는 제한', 즉 공용 침해와 이에 대한 보상이 법률에 규정되어야 함을 명시하고 있다. [고1 2021년 3월 21-25]

기술은 오직 효율성이라는 기준에 의해서만 움직이므로, 기술의 '발달은 인간의 선택이 아니라 기술 자체의 효율성을 바탕으로 자동적이며 불가역적으로 이루어진다는 것이다. 이는 자율적인 기술 앞에서 인간의 자율성을 존재하지 않게 되며 전통적 의미에서 주체와 객체의 관계였던 인간과 기술의 관계가 역전되었음을 의미한다. [고2 2023년 11월 16-21 (가)]

하지만 반플라톤주의 철학자 들뢰즈는 플라톤이 원본의 성질을 재현한 정도에 따라 원본과 사본, 시뮬라크르로 위계적인 질서를 부여한다고 지적하며, 이러한 플라톤식 사유에는 주체가 이성을 통해 대상의 가치를 판단하고 재단하는 폭력성이 내재해 있다고 비판했다. 다시 말해 플라톤은 원본과의 유사성을 근거로 들어 진짜 유사와 가짜 유사를 구분 짓고 시뮬라크르만을 무가치한 것으로 폐기했다는 것이다. [고2 2022년 11월 16-21]

뜻은 우리가 의사소통을 통해 전달하고 이해할 수 있어야 하기에, 언어 공동체가 공유할 수 있는 객관적으로 합의된 재산인 것이다. 다시 말해 우리가 성공적으로 의사소통할 수 있는 이유는 뜻이 공적인 것이기 때문이다. [고2 2020년 11월 16-19]

그런데 실제로 실험을 해보면 한 물질 내에서 일어나는 전도의 경우에 다른 조건이 동일하더라도 물질의 종류가 다르면 열전달률이 다르게 나타난다. 따라서 푸리에의 열전도 법칙에 따르면 다른 조건이 같더라도 열전도도가 높은 경우 열전달률도 높게 나타난다. [고1 2020년 11월 29-33]

즉 로랜즈에게 주체 없는 인지란 있을 수 없다. [고3 2024학년도 6월 12-17]

즉 몸으로서의 나는 사물과 같은 세계에 속하는 동시에 의식으로서의 나는 사물과 다른 세계에 속한다. [고3 2024학년도 6월 12-17]

not A but B : 'not A but B'는 '~가 아니라'라는 표지로 주로 등장한다. 이 문장에서 중요한 것은 B이기 때문에 A보다는 B에 더 집중해야 한다. A에는 X 표시, B에는 O 표시를 치며 지문을 읽어보자. A와 B는 항상 대립되는 형태로 나타나기 때문에, 만약 B 부분이 추상적이어서 이해하지 못했다면 A의 반대 개념으로 이해하며 읽는 것도 가능하다.

1) 공유 경제란 생산된 제품이나 서비스를 개인이 소유하는 것이 아니라, 여러 사람이 공유해 쓰는 협력적 소비 활동을 의미한다. [고2 2022년 9월 8-10]
→ 공유 경제는 생산된 제품이나 서비스를 개인이 소유하는 것 X (not A), 여러 사람이 공유해 쓰는 협력적 소비 활동 O (but B)이다.

2) 즉 언어는 자의적인 성격을 지닐 뿐이며 현실 세계를 묘사하는 것이 아니라는 것이다. [고2 2021년 11월 28-33]
→ 언어는 자의적인 성격 O (but B), 현실 세계를 묘사 X (not A)이다.
이렇게 not A but B의 순서가 바뀌어서 나타나는 경우도 있다.

3) 프리드와 같은 형식주의 비평가들은 작품 속에 표현된 사물, 인간, 풍경 같은 내용보다는 선, 색, 형태 등의 조형 요소와 비례, 율동, 강조 등과 같은 조형 원리를 예술 작품의 우수성을 판단하는 기준이라고 주장한다.   [고3 2021년 9월 20-25]

→ 형식주의 비평가들이 예술 작품의 우수성을 판단하는 기준은 내용 (사물, 인간, 풍경) X (not A), 조형 요소 (선, 색, 형태) + 조형 원리 (비례, 율동, 강조) O (but B)이다.

'~가 아니라'라는 명확한 표지는 나오지 않았으나, A가 아닌 B를 강조하는 구조가 나타난다.

추상의 강도가 더해질수록 현대회화는 실재의 재현에서 더욱 멀어져, 실재가 아닌 화가의 내면을 표현하는 것으로 인식되었다. [고1 2023년 9월 21-26]

하지만 우리는 많은 작품을 빠르게 접하기 위해서 작품을 감상하는 것이 아니다. 작품을 감상하는 본질적인 이유는 작품 감상 과정에서 다른 사람의 삶을 간접 경험하거나 장면 및 구절의 의미, 창작자의 의도를 고민하고 자신만의 해석을 내리기 위해서이다. [고2 2023년 9월 4-7]
→ 두 문장으로 나누어져 있으나, 본질적으로는 하나로 묶여 not A but B의 구조를 가지고 있는 내용이다.

여기에서의 창작성이란 완전히 새로워야 한다거나 예술적 수준이 높아야 한다는 것이 아니라, 남의 것을 단순히 베끼지 않고 최소한의 개성을 담아야 함을 의미한다. [고1 2022년 9월 16-21]

프롬은 생존을 위해 필요한 최소한의 소유를 부정하지는 않았지만 소유를 통해 행복의 원천을 발견하려는 집착적 욕망을 비판했다. [고1 2022년 9월 22-25]

프롬은 이러한 소유적 실존 양식이 아닌 존재적 실존 양식으로 살아갈 것을 제안했다. [고1 2022년 9월 22-25]

프롬은 세계와 합일을 이루기 위해서는 이성적 능력을 생산적으로 사용해야 한다고 했는데, 이때 '생산적'이라는 것은 쓸모 있는 결과물을 만들어 내는 능력이 아니라 내면의 능동적인 상태를 의미한다. [고1 2022년 9월 22-25]

행복이란 한순간의 감정이 아니라 덕의 실현이 습관화됐을 때 도달할 수 있는 경지이므로 어떤 사람이 행복한 사람인지를 알기 위해서는 그 사람의 일생에 이룩한 인격적 성숙에 따라 평가해야 한다. [고1 2022년 9월 22-25]

공유 경제란 생산된 제품이나 서비스를 개인이 소유하는 것이 아니라, 여러 사람이 공유해 쓰는 협력적 소비 활동을 의미한다. [고2 2022년 9월 8-10]

이 모델에서 행위자는 독자적인 여러 조직이 모인 연합체로서의 국가이며, 정책 행위는 행위자의 의도적 선택이 아닌 미리 규정된 절차에 따라 조직들이 수행한 결과가 모여 만들어진 기계적 산출물로 인식된다. [고2 2022년 9월 16-20]

이때 두 모델은 대립 관계에 있는 것이 아니라 외교 사건을 다각적으로 설명할 수 있게 해 준다는 것이 앨리슨의 정책 결정 모델이 갖는 의의이다. [고2 2022년 9월 16-20]

이때 관중이 강조한 백성의 윤택한 삶은 도덕적 교화와 같은 목적을 위한 것이 아닌, 부강한 나라의 실현을 위한 것이라는 실리적 관점에서 이해할 수 있다. [고1 2022년 11월 16-21]

이렇게 인간을 비롯한 대상의 의미나 본질은 하나의 개체로서가 아니라 전체 안에서 다른 것들과 맺은 관계 때문에 결정된다는 관점을 '구조주의'라고 한다. [고1 2021년 9월 30-33]

헌법은 내용적으로 올바르기 때문에 효력을 가지는 것이 아니라, 정치적 의지의 힘을 가진 자, 곧 헌법제정권력자의 의사에 의하여 정립되었기 때문에 정당성을 가진다고 보았다. [고2 2021년 9월 20-25]

특히 테트로도톡신은 복어가 스스로 만들어 내는 것이 아니라, 복어가 먹이로 섭취한 플랑크톤에 의해 축적되거나 복어 체내에 기생하는 균에 의해 만들어진다는 특징이 있다. [고2 2021년 9월 35-38]

로크에게 노동은 단순히 신체를 사용하는 것이 아니라 삶과 편의에 최대한 도움이 되도록 자연을 이용하는 것을 의미하기 때문이다. [고2 2020년 9월 37-41]

그 결과 객체는 주체의 노동으로 사라지거나 파괴되는 것이 아니라 인간과 무관한 것에서 인간을 위한 노동 산물로 변화하는 것이다. [고2 2020년 9월 37-41]

니체는 전통 형이상학의 도덕 가치를 좇으며 '노예'로 살아가는 대신 각자가 '주인'으로서 스스로의 삶을 살아갈 것을 강조했다. [고2 2023년 6월 21-25]

이 모델은 정책 행위가 제한적 정보만으로 결정된다고 보기 때문에, 정책 행위의 목적보다는 그 정책 행위가 어떻게 결정되었는지에 주목한다. [고2 2022년 9월 16-20]

이때 보드리야르가 제시한 사용 가치는 사물 자체의 유용성에 대한 가치가 아니라 욕망의 대상으로서 기호(sign)가 지니는 기능적 가치, 즉 기호 가치를 의미한다. [고1 2022년 3월 16-20]

다시 말해, 어떤 기호의 의미 내용을 결정하는 것은 기표와 기의의 관계가 아니라 기호들 간의 관계, 즉 기호 체계이다. [고1 2022년 3월 16-20]

플라톤은 음유시인이 용기나 절제 같은 덕성을 갖춘 인간이 아닌 저급한 인간의 면모를 모방할 수밖에 없다고 주장했다. [고1 2022년 3월 21-25]

따라서 플라톤은 음유시인의 연기를 보는 관객들이 이성이 아닌 감정이나 욕구와 같은 비이성적인 것들에 지배되어 타락하게 된다고 보았다. [고1 2022년 3월 21-25]

표현주의 화가인 마티스는 화가 노트에서 "회화는 결국 표현이다."라고 주장하면서, 표현이 눈으로 본 것을 눈에 전달하는 것이 아니라 마음으로 느낀 것을 마음에 전달하는 수단임을 강조하였다. [고2 2022년 3월 20-25]

그러므로 심리치료는 고통을 제거하는 것이 아니라 고통 속에서도 견뎌내는 힘을 길러주는 것이어야 한다고 주장하였다. [고2 2022년 6월 26-30]

이 관점에 따르면 인간은 결단의 주체가 아니며 인간의 특성과 정체성은 인간 스스로 결정하는 것이 아닌 그가 속한 사회 구조에 의해 결정된다. [고1 2021년 9월 30-33]

따라서 재산권 침해를 규정한 법률에 보상 규정이 없는 경우 입법자가 이러한 재산권 침해를 특별한 희생이 아닌 사회적 제약으로 규정한 것으로 본다. [고1 2021년 3월 21-25]

그러므로 예술이란 귀납적 표상으로 형성되는 관념상을 그리는 행위가 아니라 선험적 관념상, 즉 연역적 표상을 현상계의 감각적인 것으로 유출시키는 행위인 것이다. [고2 2021년 3월 32-36]

그의 추상은 사물의 단계적 단순화로 시작하여 종국에 그 본원적 모습을 밝히는 것이 아니라 직관적인 방법으로 정신이나 초월적인 것을 구현해 내기 위한 것이었다. [고2 2021년 3월 32-36]

레비나스는 타자의 출현은 주체의 이기성을 제한하고 책임의 주체로 설 수 있도록 하는 것이지, 이로 인해 자기성이 상실되는 것이 아님을 분명히 한다. [고2 2021년 6월 16-20]

타자는 주체의 존재를 침몰시키는 위협적인 존재가 아니라, 오히려 자기성에 갇힌 주체를 무한히 열린 세계로 초월할 수 있게 하는 존재라고 본 것이다. [고2 2021년 6월 16-20]

소쉬르에 따르면 언어는 기호 체계로, 현실 세계를 묘사하는 것이 아니라 근본적으로 자의적인 체계이다. [고2 2021년 11월 28-33]

소쉬르에 따르면 기표와 기의의 관계는 필연적이지 않고 자의적이며, 단지 그 기호를 사용하는 사람들의 사회적 약속일 뿐이다. [고2 2021년 11월 28-33]

따라서 도덕적 원칙주의자는 갈등 상황이 생겼을 때 주관적 욕구나 개인이 처한 상황을 고려하지 말고 도덕 법칙에 따라 행동하라고 말한다. [고2 2020년 3월 16-20]

도덕적 다원주의자는 도덕적 갈등 상황에서 어떤 가치가 옳고 그른지 판단하는 것보다 갈등 당사자 간의 인간관계가 훼손되지 않는 것을 중시한다. [고2 2020년 3월 16-20]

그래서 사르트르는 나와 타자가 맺는 관계는 공존이 아니라 갈등과 투쟁으로 여겨서, '타자는 지옥이다.'라는 극단적인 표현까지 동원하기도 하였다. [고2 2020년 6월 16-20]

프랭클은 인간이 원초적 욕구에 따라 행동하는 존재이기는 하지만, 원초적 욕구가 인간의 본질이 될 수는 없다고 보았다. [고2 2022년 6월 26-30]

기술은 오직 효율성이라는 기준에 의해서만 움직이므로, 기술의 발달은 인간의 선택이 아니라 기술 자체의 효율성을 바탕으로 자동적이며 불가역적으로 이루어진다는 것이다. [고2 2023년 11월 16-21 (가)]

기술 일반에 대해 추상적으로 고민할 것이 아니라 실제 기술에 대한 경험적 연구를 수행해야 한다고 믿은 철학자들은 자신들의 시도를 '경험으로의 전환'이라고 불렀다. [고2 2023년 11월 16-21 (나)]

즉 언어는 자의적인 성격을 지닐 뿐이며 현실 세계를 묘사하는 것이 아니라는 것이다. [고2 2021년 11월 28-33]

결국 소쉬르의 언어학은 언어가 현실 세계를 수동적으로 재현하는 수단이 아니며, 오히려 언어가 현실 세계를 구성한 다는 생각을 함축하고 있는 것이다. [고2 2021년 11월 28-33]

가령 '빨강'이라는 단어의 의미를 배우는 것은 사전에 실려있는 추상적 개념을 배우는 것이 아니라, 실제 미술 시간에 눈앞에 있는 빨간 사과를 그려 보라는 교사의 말에 물감 중 필요한 빨간색을 골라 사용할 수 있게 되는 일이다. [고2 2021년 11월 28-33]

따라서 비트겐 슈타인에게 있어 언어란 현실 세계를 재현하는 것이 아니라, 언어를 사용하는 사람들의 소통에 의해서 만들어지는 것이라고 할 수 있다. [고2 2021년 11월 28-33]

그런데 세포 안으로 흡수된 방사성추적자는 일반 포도당과 달리 세포의 에너지원으로 사용되지 않고, 일정 시간 동안 세포 안에 머무른다. [고1 2021년 11월 28-32]

그리고 이러한 인식적 차이가 발생하는 이유가 고유 이름이 지시체 그 자체가 아닌 '뜻'을 의미하기 때문이라고 주장한다. [고2 2020년 11월 16-19]

한비자는 노자에 제시된 영구불변하는 도의 항상성에 대해 도가 천지와 더불어 영원히 존재한다는 것을 의미하는 것이지, 도가 모습과 이치를 일정하게 유지하는 것은 아니라고 이해했다. [2024학년도 수능 12-17]

이들이 책을 찾은 것도 혼란스러운 현실을 외면하려 한 것이 아니라 자신의 삶에 대한 숙고의 시간이 필요했기 때문이다. [2022학년도 수능 1-3]

변증법은 대등한 위상을 지니는 세 범주의 병렬이 아니라, 대립적인 두 범주가 조화로운 통일을 이루어 가는 수렴적 상향성을 구조적 특징으로 한다. [2022학년도 수능 4-9]

치열한 경쟁은 학문에 대한 깊이 있는 학습이 아니라 합격만을 목적으로 하는 형식적 학습을 하게 만들었고, 많은 인재들이 수험 생활에 장기간 매달리면서 재능을 낭비하는 현상도 낳았다. [고3 2021학년도 6월 16-21]

북학이라는 목적의식이 강했던 박제가가 인식한 청의 현실은 단순한 현실이 아니라 조선이 지향할 가치 기준이었다. [2021학년도 수능 16-21]

중화 관념의 절대성을 인정하였기 때문에 당시 조선은 나름의 독자성을 유지하기보다 중화와 합치되는 방향으로 나아가야 한다는 생각이 그의 북학론의 밑바탕이 되었다. [2021학년도 수능 16-21]

그러나 비단 역사 영화만이 역사를 재현하는 것은 아니다. 모든 영화는 명시적이거나 우회적인 방법으로 역사를 증언한다. [고3 2020학년도 9월 21-26]
  → 역사 영화뿐만 아니라 모든 영화도 역사 증언

지어낸 이야기는 실제 있었던 사건에 대한 기록이 아니지만 사고방식과 언어, 물질문화, 풍속 등 다양한 측면을 반영하며, 작가의 의도와 상관없이 혹은 작가의 의도 이상으로 동시대의 현실을 전달해 주기도 한다. [고3 2020학년도 9월 21-26]

경제 관련 국제기구에서 어떤 결정을 하였을 경우, 이 결정 사항 자체는 권고적 효력만 있을 뿐 법적 구속력은 없는 것이 일반적이다. [2020학년도 수능 37-42]

『주제군징』에는 당대 서양 의학의 대변동을 이끈 근대 해부학 및 생리학의 성과나 그에 따른 기계론적 인체관은 담기지 않았다. 대신 기독교를 효과적으로 전파하기 위해 신의 존재를 증명하려 했던 로마 시대의 생리설, 중세의 해부 지식 등이 실려있었다. [고3 2019학년도 6월 16-21]

한편 경쟁 방식에서 복합체에 포함된 특정 물질은 목표 성분에 대한 항체가 아니라 목표 성분 자체이다. [고3 2019학년도 6월 35-38]

결핍을 충족시키려는 욕망과 실제로 욕망이 충족된 상태 사이에는 시간적 간극이 존재할 수밖에 없다. 그런데 근대 도시에서는 이 간극이 좌절이 아니라 오히려 욕망이 충족된 미래 상태에 대한 주관적 환상을 자아낸다. [고3 2019학년도 9월 33-38]

이때 채무 불이행은 갑이나 을의 의사 표시가 작용한 것이 아니라, 매매 목적물의 소실에 따른 이행 불능으로 말미암은 것이다. [2019학년도 수능 16-20]

'이'라 할 수 있는 왕도나 오륜을 고치려 하는 것이 아니라, 그것을 구현할 수 있도록 법제를 개혁하여야 한다는 것이다. [고3 2018학년도 6월 16-21]

이데아는 물질로부터 떨어져 있고 또한 시간과 공간의 제약도 받지 않지만, 마음속의 추상적 개념이 아니라 실제로 존재하는 것이다. [고3 2018학년도 6월 16-21]

속된 일상에서 사람들은 가치를 추구하기보다는 자기 이해관계를 구체화한 목표와 이의 실현을 안내하는 규범에 따라 살아간다. [고3 2018학년도 9월 38-42]

그는 가치를 전 사회로 일반화하는 집합 의례가 현대 사회에서는 유기체의 생리 작용처럼 자연적으로 진행되는 것이 아니라, 그 결과가 정해지지 않은 과정이라고 본다. [고3 2018학년도 9월 38-42]

개연성이 높기 위해서는 비교 대상 간의 유사성이 커야 하는데 이 유사성은 단순히 비슷하다는 점에서의 유사성이 아니고 새로운 정보와 관련 있는 유사성이어야 한다. [고3 2017학년도 6월 16-19]

그리하여 사단 법인이 자기 이름으로 진 빚은 사단이 가진 재산으로 갚아야 하는 것이지 사원 개인에게까지 책임이 미치지 않는다. [고3 2017학년도 9월 35-39]

본래 보험 가입의 목적은 금전적 이득을 취하는 데 있는 것이 아니라 장래의 경제적 손실을 보상받는 데 있으므로 위험 공동체의 구성원은 자신이 속한 위험 공동체의 위험에 상응하는 보험료를 납부하는 것이 공정할 것이다. [2017학년도 수능 37-42]

빈출 표현 : '빈출 표현'에서는 '즉, 만, 오직, 뿐만 아니라'와 같이 지문에 자주 등장하는 표현들을 다룬다. 빈출 표현이 등장하는 문장은 문제로 출제될 가능성이 높기 때문에 문장의 위치를 기억해두거나 표시하는 습관을 들여야 한다. 이번 챕터를 통해 빈출 표현이 등장하는 문장에 빠르게 반응하는 것을 연습해보자.

1) 범죄인인도조약에 의해 범죄인인도청구에 응할 의무가 있다고 해도 피청구국이 청구국에 범죄인을 반드시 인도해야 하는 것은 아니다. [고2 2020년 11월 20-25]

→ '반드시 ~ (부정)'

2) 인식 주체들의 인식 조건은 다양하므로 각각의 인식틀에 따라 저마다의 얼굴, 즉 각각의 존재면이 드러나게 된다. [고1 2023년 9월 21-26]

→ '즉' / 저마다의 얼굴 = 각각의 존재면

그러나 현대회화의 추상성에 대해 실재는 배제한 채 내면만 표현한 것이라고 이분법적으로 이해하는 것은 적절하지 않다. [고1 2023년 9월 21-26]

에너지는 항상 높은 쪽에서 낮은 쪽으로 이동하여 평형을 이루려고 하고 에너지의 이동은 물질의 온도를 변화시킨다. [고1 2022년 9월 30-34]

선택적 재전송 ARQ는 데이터 전송의 기본 원리가 고-백-앤 ARQ와 같지만, 오류가 발생할 경우 송신 측에서는 오류가 발생한 데이터만 재전송한다. [고2 2022년 9월 28-32]

이처럼 구체적 삶에서 우리가 경험하는 몸의 지각은 대부분 주체와 대상이 서로 얽혀 있고 명확하게 구분되지 않는다는 것이다. 즉 메를로퐁티는 몸을 지각의 주체로만 보지 않고 지각의 대상이 될 수도 있다고 보았다. [고2 2022년 9월 33-37]

이에 민법에서는 의사무능력자 여부, 즉 의사능력의 유무와 관계없이 나이나 법원의 결정이라는 일정하고 객관적인 기준에 따라 제한 능력자를 규정하고 있다. [고1 2021년 9월 16-19]

이때 확답 촉구는 제한능력자에게는 할 수 없으며, 제한능력자의 법정대리인이나 제한능력자가 행위능력자가 된 경우에만 요구할 수 있다. [고1 2021년 9월 16-19]

따라서 법률은 헌법에 모순되어서는 안 될 뿐만 아니라 적극적으로 헌법적 가치를 실현하여야 한다. [고2 2021년 9월 20-25]

더 나아가 하이데거는 진리가 망각이 없는 상태, 즉 기억이 지배하는 상태를 의미한다고 강조하였다. [고2 2021년 9월 26-30]

그녀는 행위가 노동, 작업과 달리 혼자서는 할 수 없기에 오직 행위만이 타인의 지속적인 현존을 전제 조건으로 삼는다고 밝힌다. [고1 2020년 9월 37-41]

행동은 행위가 일어났던 공적인 공간에서 사람들이 오로지 사적인 이익만 추구하는 것을 말한다. [고1 2020년 9월 37-41]

그런데 그는 신이 인간에게 공유물로 주지 않은 유일한 것이 신체이기 때문에 각자의 신체에 대해서는 본인만이 배타적 권리를 가진다고 본다. [고2 2020년 9월 37-41]

다만 로크는 모든 노동이 공유물에 대한 소유권의 근거가 되는 것은 아니라고 보았다. [고2 2020년 9월 37-41]

이처럼 유동성은 자산의 성격을 나타내는 용어이지만, 흔히 시중에 유통되는 화폐의 양, 즉 통화량을 나타내는 말로도 사용된다. [고1 2023년 3월 19-22]

그러나 중앙은행이 경기 활성화를 위해 통화 정책을 시행했음에도 불구하고 애초에 의도한 결과가 나타나지 않기도 한다. 즉, 기준 금리를 인하하여 시중에 유동성을 충분히 공급하더라도, 증가한 유동성이 기대만큼 소비나 투자로 이어지지 않으면 경기가 활성화되지 않는다. [고1 2023년 3월 19-22]

그 요건은 임차인이 주택을 인도받는 것과 전입 신고를 마치는 것이다. 요건만 갖추면 효력이 발생하고 임대인의 동의도 필요하지 않기 때문에 임차인을 효과적으로 보호하는 것이 가능하다. [고2 2023년 3월 21-25]

우선변제권의 효력은 대항력과 확정일자가 모두 갖추어진 날부터 발생한다. [고2 2023년 3월 21-25]

공정거래법에서는 사업자의 부당한 공동행위 또한 제한하고 있다. [고2 2023년 6월 33-38]

특정 사물의 상징은 기호 체계, 즉 사회적 상징체계 속에서 유동적이며, 따라서 상징체계 변화에 따라 욕구도 유동적이다. [고1 2022년 3월 16-20]

영원불변의 이데아계는 현상계에 나타난 모든 사물의 근본이 되는 보편자, 즉 형상(form)이 존재하는 곳으로 이성으로만 인식될 수 있는 관념의 세계이다. [고1 2022년 3월 21-25]

프랭클은 현대인이 자신의 존재가 목적도 없고 이유도 없다고 느끼는 감정, 즉 실존적 공허감을 겪고 있다고 보아 인간 존재의 본질에 대한 해답을 찾고자 하였다. [고2 2022년 6월 26-30]

일라이트는 혈액 순환을 촉진하여 몸을 따뜻하게 하고, 세균이나 곰팡이의 서식이나 번식을 방지할 뿐 아니라 체내 중금속을 배출하는 등의 효과가 있다고 알려져 있다. [고2 2021년 6월 8-10]

이때 보편적으로 적용할 수 있는 도덕법칙은 '너는 무엇을 해야 한다'라는 명령의 형식으로 나타나며, 칸트는 선의지에 따라 의무로부터 비롯된 행위를 실천하는 것만이 도덕적 가치가 있다고 보았다. [고1 2021년 11월 37-41]

그중 의미 지칭 이론에 따르면 고유 이름이 의미하는 바는 그 표현이 지칭하는 것, 즉 지시체 자체이다. [고2 2020년 11월 16-19]

이는 물질이 전도에 의해 열을 전달할 수 있는 능력의 척도, 즉 열전도도가 물질마다 다르기 때문이다. [고1 2020년 11월 29-33]

케인즈학파는 경기 변동을 시장 균형으로부터의 이탈과 회복, 즉 불균형 상태와 균형 상태가 반복되는 현상으로 보고, 총수요 변동이 유발한 불균형 상태가 가격 경직성으로 말미암아 오래 지속될 수 있다고 보았다. [고2 2020년 3월 38-42]

품종보호권이 설정된 품종을 실시하고자 하는 자는 품종보호권자에게 품종실시료를 지불해야 한다. 단, 새로운 품종의 육성을 위한 연구를 목적으로 실시하는 경우 등에는 품종실시료를 지불하지 않아도 된다. [고2 2022년 6월 16-20]

프로이트는 사람의 행동, 사상, 정서를 결정하는 원인을 오직 쾌락 의지라고 보았다. [고2 2022년 6월 26-30]

물은 분자 내 전하가 양극으로 분리된 상태인 극성을 띠거나 분자가 전하를 띠는 물질, 즉 친수성 물질과만 섞이고 소수성 물질은 소수성 물질과만 섞이기 때문이다. [고2 2023년 3월 16-20]

그는 18세기부터 형성되기 시작한 격자 구조의 도시 공간은 위생학적 측면에서 전염병에 대처하기 위한 기능을 하기도 하지만 권력이 작동하는 그물망으로도 작용한다고 주장했다. [고1 2023년 11월 16-21]

플랫폼 사업자는 수익을 극대화할 수 있는 전략으로 양쪽 이용자 집단에 차별적인 가격을 부과하는 것이 일반적인데, 한쪽 이용자 집단의 플랫폼 이용료를 아주 낮게 책정하거나 한쪽 이용자 집단에 보조금을 지급하는 경우도 있다. [고1 2022년 11월 38-41]

일반적으로 잠정조치는 사건이 회부된 재판소에서 담당하지만, 본안 소송의 재판소와 잠정조치를 명령하는 재판소가 다른 경우도 있다. [고2 2021년 11월 23-27]

즉 언어는 자의적인 성격을 지닐 뿐이며 현실 세계를 묘사하는 것이 아니라는 것이다. [고2 2021년 11월 28-33]

일반적으로 사람들은 어휘를 선택하고 그것을 언어 체계에 맞추어 발화하는 주체가 자신이라고 생각한다. [고2 2021년 11월 28-33]

보험 사고가 발생하였다고 해서 항상 보험금액만큼 지급되는 것은 아니므로 보험금액은 보험금의 최고 한도라는 의미만을 갖는다. [고1 2021년 11월 20-24]

즉, 한 지점에서 방출된 한 쌍의 감마선이 아무런 방해를 받지 않고 동시 계수 시간 폭 내에 도달하는 참계수만이 유효한 영상 성분이 되는 것이다. [고1 2021년 11월 28-32]

사전에 체결된 범죄인인도조약에 의해서만 상대 국가에 대한 범죄인인도청구에 응할 의무가 발생하며, 어떤 국가가 범죄인인도조약을 맺지 않은 국가의 범죄인인도청구에 응해야 할 국제법상의 의무는 없다. [고2 2020년 11월 20-25]

범죄인 인도를 청구하는 청구국과 인도를 청구받는 피청구국 모두에서 범죄로 성립되고, 주로 해당 범죄의 형기가 징역 1년 이상에 해당하는 경우만을 인도대상으로 규정하는 방식이다. [고2 2020년 11월 20-25]

죄인이 청구국으로 인도되면 인도 청구 사유가 되었던 범죄에 대해서만 처벌을 받는데, 다만 인도 후 새로 저지른 범죄나 피청구국이 처벌에 동의한 범죄 등은 인도 청구 사유에 명시되지 않았어도 처벌이 가능하다. [고2 2020년 11월 20-25]

예를 들어 어떤 사람이 피아노로 같은 악보를 반복해서 연주한다고 할 때, 각각의 연주는 결코 동일할 수 없으므로 연주가 반복될수록 연주자와 관객 모두 연주마다의 서로 다른 강도를 느끼게 된다. 즉 각각의 연주는 '차이 자체'를 드러내게 되는 것이다. [고1 2020년 11월 34-38]

장단은 단지 음악의 진행을 시간적으로 안배하는 역할만을 하는 것이 아니라 연주자나 창자의 호흡을 조절하며 음악의 분위기를 이끌어 나간다. [고1 2021년 9월 24-26]

행정 기관이 명시적으로 의사를 드러내는 것뿐 아니라 행정적 권한을 행사하지 않음으로써 묵시적으로 의사를 드러내는 것도 의사를 표명하는 행위로 보아 공적 견해 표명이 될 수 있다. [고2 2023년 11월 22-25]

공포 소구 연구를 진척시킨 레벤달은 재니스의 연구가 인간의 감정적 측면에만 치우쳤다고 비판하며, 공포 소구의 효과는 수용자의 감정적 반응만이 아니라 인지적 반응과도 관련된다고 하였다. [고3 2024학년도 6월 4-7]

지각은 물질적 반응이나 의식의 판단이 아니라, 내 몸의 체험이다. [고3 2024학년도 6월 12-17]

두 압전 효과가 모두 생기는 재료를 압전체라 하며, 수정이 주로 쓰인다. [고3 2024학년도 9월 8-11]

인덱스란 단어를 알파벳순으로 정리한 목록으로, 여기에는 각 단어가 등장하는 웹 페이지와 단어의 빈도수 등이 저장된다. 이때 각 웹 페이지의 중요도가 함께 기록된다. [고3 2024학년도 9월 14-17]

인의가 실현되는 정치를 위해 육가는 유교의 범위를 벗어나지 않는 한에서 타 사상을 수용하였다. 예와 질서를 중시하며 교화의 정치를 강조하는 유교를 중심으로 도가의 무위와 법가의 권세를 끌어들였다. [고3 2023학년도 6월 4-9]

집단 간 표본의 통계적 유사성을 높이려고 사건 이전 시기의 시행집단을 비교집단으로 설정하는 것이 평행추세 가정의 충족을 보장하는 것은 아니다. [고3 2023학년도 6월 14-17]

기부와 같이 어떤 재산이 대가 없이 넘어가는 무상 처분 행위가 행해졌을 때는 그 당사자인 무상 처분자와 무상 취득자의 의사와 무관하게 그 결과가 번복될 수 있다. [고3 2023학년도 9월 10-13]

이때 손해 액수가 얼마로 증명되든 손해 배상 예정액보다 더 받을 수는 없다. [2023학년도 수능 10-13]

그런데 모든 과정이 인과적 과정은 아니다. [고3 2022학년도 6월 4-9]

소수의 지식인들만이 사회 변화의 부정적 측면을 염려하거나 개혁 방안을 모색하였다. [2021학년도 수능 16-21]

예약상 권리자가 본계약을 성립시키겠다는 의사를 표시하는 것만으로 본계약이 성립한다. [2021학년도 수능 22-25]

이로 인해 채무의 내용이 바뀌는데 원래의 급부 내용이 무엇이든 채권자의 손해를 돈으로 물어야 하는 손해 배상 채무로 바뀐다. [2021학년도 수능 22-25]

GPU의 각 코어는 그래픽 연산에 특화된 연산만을 할 수 있고 CPU의 코어에 비해서 저속으로 연산한다. [2021학년도 수능 34-37]

한편 체결된 계약 내용이 법률에 정해진 내용과 어긋날 때 법적 불이익이 있을 뿐 아니라 체결된 계약의 효력 자체도 인정되지 않아 급부 의무가 부정되는 경우가 있다. [고3 2020학년도 6월 22-26]

이미 급부를 이행하여 재산적 이익을 넘겨주었다면 이 이익은 '부당 이득'에 해당하기 때문에 반환을 요구할 수 있다. 즉 '부당 이득 반환 청구권'이 인정된다. [고3 2020학년도 6월 22-26]

금융을 통화 정책의 전달 경로로만 보는 전통적인 경제학에서는 금융 감독 정책이 개별 금융 회사의 건전성 확보를 통해 금융 안정을 달성하고자 하는 미시 건전성 정책에 집중해야 한다고 보았다. [고3 2020학년도 6월 27-31]

이에 기존의 정책으로는 금융 안정을 확보할 수 없고, 경제 안정을 위해서는 물가 안정뿐만 아니라 금융 안정도 필수적인 요건임이 밝혀졌다. [고3 2020학년도 6월 27-31]

박테리아와 마찬가지로 새로운 미토콘드리아는 이미 존재하는 미토콘드리아의 '이분분열'을 통해서만 만들어진다. [고3 2020학년도 6월 37-42]

그러나 문헌 기록을 바탕으로 하는 역사 서술에서도 허구가 배격되어야 할 대상만은 아니다. [고3 2020학년도 9월 21-26]

항원-항체 반응은 항원과 그 항원에만 특이적으로 반응하는 항체가 결합하는 면역반응을 말한다. [고3 2019학년도 6월 35-38]

갑이 계약 해제권을 행사하면 그때까지 유효했던 계약이 처음부터 효력이 없는 것으로 된다. 이때의 계약 해제는 일방의 의사 표시만으로 성립한다. [2019학년도 수능 16-20]

'이'와 '기'는 사물의 구성 요소로서 서로 다른 성질을 갖지만, '이'는 현실 세계에서 항상 '기'와 더불어 실제로 존재한다. [고3 2018학년도 6월 16-21]

그러나 민간이 사후적인 결과만으로는 중앙은행이 준칙을 지키려 했는지 판단하기 어렵고, 중앙은행에 준칙을 지킬 것을 강제할 수 없는 것도 사실이다. [고3 2018학년도 6월 22-25]

한편, 인터넷에 직접 접속은 안 되고 내부 네트워크에서만 서로를 식별할 수 있는 사설 IP 주소도 있다. [고3 2018학년도 6월 30-34]

그래서 팝아트는 주로 대상의 현실성을 추구하지만, 하이퍼리얼리즘은 대상의 현실성뿐만 아니라 트롱프뢰유의 흐름을 이어 표현의 사실성도 추구한다. [고3 2018학년도 9월 16-19]

그러나 요소의 분화와 자율성이 없는 전체주의 사회에서는 국가 권력에 의한 대중 동원만 있을 뿐 사회적 공연이 일어나기 어렵다. [고3 2018학년도 9월 38-42]
  → 사회적 공연 X, 국가 권력에 의한 대중 동원 O

아리스토텔레스는 자연물을 생물과 무생물로, 생물을 식물·동물·인간으로 나누고, 인간만이 이성을 지닌다고 생각했다. [2018학년도 수능 16-19]

모든 기호들이 동일한 발생 확률을 가질 때 그 기호 집합의 엔트로피는 최댓값을 갖는다. [2018학년도 수능 38-42]

콰인은 중심부 지식과 주변부 지식이 원칙적으로 모두 수정의 대상이 될 수 있고, 지식의 변화도 더 이상 개별적 지식이 단순히 누적되는 과정이 아니라고 주장한다. [2017학년도 수능 16-20]

소, 양, 사슴과 같은 반추 동물도 섬유소를 분해하는 효소를 합성하지 못하는 것은 마찬가지이지만, 비섬유소와 섬유소를 모두 에너지원으로 이용하며 살아간다. [2017학년도 수능 33-36]

산성의 환경에서 왕성히 생장하며 항상 젖산을 대사산물로 배출하는 락토바실러스 루미니스(L)와 같은 젖산 생성 미생물들의 생장이 증가하며 다량의 젖산을 배출한다. [2017학년도 수능 33-36]

> # 길거나 복잡한 문장 : 길거나 복잡한 문장 챕터는 하나의 태그로 분류되지 않고 여러 절과 구가 얽혀 있어서 나누어 읽어야 하는 문장들을 모아 구성했다. 핵심 주어와 술어를 찾고, 자주 나오는 표지가 어떻게 활용되는지 이해하는 연습을 통해 문장을 정확하게 이해할 수 있다.

1) 뵈메는 (예술의 미적 경험이 일상적인 맥락에서 분리되어 예술가라는 특별한 존재에 의해 창조되는 특정한 미적 대상에만 국한된다고 보는) 기존의 미학을 비판하며, 예술이 창작되고 수용되는 미적 경험이 일상적 현실로까지 확장되어야 한다고 보았다. [고1 2023학년도 9월 21-26]

→ 이 문장은 두 문장이 쉼표로 연결되어 있는 긴 문장으로, 앞의 절이 '비판하다'로 끝나고 있으니 어떤 것이 비판의 대상인지 먼저 파악해야 한다. → 비판 주체 = 뵈메, 비판 대상 = 기존의 미학

또한 괄호 안 내용의 필수적인 문장 성분은 '예술의 미적 경험이[주어]' '미적 대상에(만)[필수적 부사어]' '국한된다(고 본다)[술어]'로 뵈메가 예술의 미적 경험을 한정시키는 기존의 미학을 비판하고 있다는 내용임을 확인할 수 있다. → 비판 내용 = 예술의 미적 경험을 한정시키고 있음

이 문장을 더 자세히 분석했을 때, '일상적인 맥락'과 '특별한 존재'가 문장 상에서 대비되고 있다는 것을 파악하여 → 뵈메가 생각하는 기존의 미학 = 미적 경험이 특정한 미적 대상에만 국한되어 있음 (일상 X) 이 앞 문장의 요지임을 이해할 수 있다.

이어서 뒤 문장에 '일상'이 다시 등장하는데, 앞 문장에서 비판하는 지점이 '일상 X'였으므로 뵈메는 미적 경험이 일상적 현실로까지 확장 (일상 O) '되어야 한다고 본다'는 요지를 읽어낼 수 있다.

2) 예술은 동일화되지 않으려는, 일정한 형식이 없는 비정형화된 모습으로 나타남으로써 현대 사회의 부조리를 체험하게 하는 매개여야 한다는 것이다. [고3 2022학년도 9월 4-9]

→ 이 문장은 아주 길거나 복잡하지는 않지만 모의고사에 자주 나오는 형태로, 동일한 내용이 다른 단어로 여러 번 반복되어 등장하는 문장이다. 쉼표로 연결된 세 개의 구는 사실상 유사한 말로, '예술 = 동일화 X=일정한 형식 X=비정형화된 모습'으로 정리할 수 있다. 따라서 '예술 → 비정형화된 모습으로 나타남으로써 현대 사회의 부조리를 체험하게 하는 매개'로 요약될 수 있다.

3) 그는 자연물이 단순히 목적을 갖는데 그치는 것이 아니라 목적을 실현할 능력도 타고나며, 그 목적은 방해받지 않는 한 반드시 실현될 것이고, 그 본성적 목적의 실현은 운동 주체에 항상 바람직한 결과를 가져온다고 믿는다. [2018학년도 수능 16~19]

→ 이 문장은 쉼표로 나뉜 절마다 등장하는 핵심 단어 '목적'과 '실현'을 따라가면 쉽게 이해할 수 있다.

- 첫 번째 절에서는 자연물 = 목적 갖기 + 목적 실현 능력
- 두 번째 절에서는 목적 → 반드시 실현될 것
- 세 번째 절에서는 본성적 목적의 실현 → 운동 주체에 항상 바람직한 결과
로 점차적으로 의미가 확대되고 있는 것을 파악하여 문장을 해석할 수 있다.

회전이 충분히 안정되면 물 전체의 회전 속도, 즉 회전하는 물체의 단위 시간당 각도 변화 비율인 각속도가 똑같아져 마치 팽이가 돌듯이 물 전체가 고체처럼 회전한다. [고1 2023년 6월 21-25]

뵈메는 예술의 미적 경험이 일상적인 맥락에서 분리되어 예술가라는 특별한 존재에 의해 창조되는 특정한 미적 대상에만 국한된다고 보는 기존의 미학을 비판하며, 예술이 창작되고 수용되는 미적 경험이 일상적 현실로까지 확장되어야 한다고 보았다. [고1 2023년 9월 21-26]

매스미디어의 거대화, 독점화에 따라 언론의 자유가 매체를 소유하거나 지배하는 소수의 계층이나 집단의 것으로 전락하였기 때문에 시민들의 언론의 자유를 보장하기 위해 언론 매체 접근·이용권을 인정해야 함을 주장한 것이다. [고2 2023년 9월 20-25]
→ '~에 따라', '~ 때문에', '~하기 위해' 등의 인과관계를 나타내는 표현이 많이 포함된 문장이기 때문에 한 번에 독해하기 어려울 수 있다. 인과성에 주목해서 독해해야 한다.

언론 등에 의하여 범죄 혐의가 있거나 형사상의 조치를 받았다고 보도 또는 공표된 자는 그에 대한 형사 절차가 무죄 판결 또는 이와 동등한 형태로 종결되었을 때에는 그 사실을 안 날로부터 3개월 이내에 언론사 등에 이 사실에 관한 추후 보도의 게재를 청구할 수 있다. [고2 2023년 9월 20-25]

다만 허락 없이 2차적 저작물을 작성하여 이용하는 것은 원저작자의 권리를 침해하는 것이므로, 원저작자는 자기 허락 없이 만들어진 2차적 저작물을 이용하지 못하도록 금지하거나 손해배상을 청구하는 등 권리를 침해한 사람에게 자신의 권리를 주장할 수 있다. [고1 2022년 9월 16-21]

→ 허락 없이 2차적 저작물을 작성, 이용하면(조건) 원저작자는 권리를 주장할 수 있다(효과)라는 조건효과와 함께 '~하므로', '~하도록' 등 인과성으로 연결된 부분이 많다.

이 모델은 결정된 정책 행위가 특정 목적에 대해 최대 효용을 갖는 방안이라고 상정하기 때문에 그 목적을 찾아냄으로써 행위자가 왜 그러한 방안을 선택했는지를 설명한다. [고2 2022년 9월 16-20]

구체적으로 만 19세 미만의 미성년자, 그리고 가정법원으로부터 심판을 받은 피성년후견인과 피한정후견인 등이 제한능력자에 해당되는데, 이들은 독자적으로 완전하고 유효한 법률 행위를 할 수 있는 행위능력자와 구분되며, 사신의 의사무능력을 증명할 필요가 없다. [고1 2021년 9월 16-19]

→ 제한능력자에 미성년자, 피성년후견인, 피한정후견인이 있다는 포함 관계와, 이는 행위능력자와 구분된다는 대립항 두 가지가 내재되어 있다.

회전이 충분히 안정되면 물 전체의 회전 속도, 즉 회전하는 물체의 단위 시간당 각도 변화 비율인 각속도가 똑같아져 마치 팽이가 돌듯이 물 전체가 고체처럼 회전한다. [고1 2023년 6월 21-25]

보르다 투표제는 n개의 대안이 있을 때 가장 선호하는 대안부터 순서대로 n, (n-1), …, 1점을 주고, 합산하여 가장 높은 점수를 받은 대안을 선택하는 투표 방식으로, 점수 투표제와 달리 오로지 순서에 의해서만 선호 강도를 표시한다. [고1 2023년 6월 38-42]

공정거래법이라고도 불리는 '독점규제 및 공정거래에 관한 법률'에서는 사업자의 독과점 자체를 금지하지는 않으나, 시장 지배적 지위 남용과 부당한 공동행위 등 경쟁 제한 행위로 인하여 일정한 폐해가 초래되는 경우에는 이를 규제하는 '폐해규제주의'를 취하고 있다. [고2 2023년 6월 33-38]

또한 자동차, 빈방, 옷, 전자기기 등의 유형 자원뿐만 아니라 재능 및 지적 재산 등의 무형 자원까지 공유 경제의 분야가 확대되고 있어 공유 경제의 규모는 매년 성장하는 추세이다. [고2 2022년 9월 8-10]

명시적 방법을 사용할 경우 송신 측은 NAK를 수신하거나 타임아웃이 되면 이에 해당하는 데이터부터 순서대로 모든 데이터를 재전송하지만, 묵시적 방법을 사용할 경우 송신 측은 타임아웃 시간 동안 ACK를 수신하지 않았을 때만 이에 해당하는 데이터부터 순서대로 모든 데이터를 재전송한다. [고2 2022년 9월 28-32]

다양한 공간을 비교적 긴 시간 동안 여행한 경험을 다루고 있는 사대부들의 기행 문학에서 각각의 장면은 여정이나 경치를 제시하는 경(景)과 경치에서 촉발된 흥취나 안타까움 등의 주관적 정서인 정(情), 그리고 경치에 대한 품평이나 자연 현상에 대한 해석과 같이 작가가 펼치는 평가나 주장이 논리적으로 드러나는 의(議)의 반복을 통해 단절되지 않고 유기적으로 연결된다. [고2 2022년 9월 38-41 <보기>]

품종의 개량은 이전 품종이 가진 단점을 보완하거나 장점을 더욱 부각하는 방향으로 이루어지는데, 품종의 개량이 판매 증대로 이어지면 큰 부가가치를 창출할 수 있다. [고2 2022년 6월 16-20]

보상을 규정하지 않은 채 공용 침해를 규정하고 있는 법률은, 불가분 조항인 헌법 제23조 제3항에 위반되어 위헌이고, 위헌임이 밝혀진 법률에 근거한 공용 침해 행위는 위법한 행정 작용이 된다는 것이다. [고1 2021년 3월 21-25]

원자핵을 구성하는 양성자와 중성자의 개수를 모두 더한 것을 질량수라고 하는데, 질량수가 큰 하나의 원자핵이 질량수가 작은 두 개의 원자핵으로 쪼개지는 것을 핵분열이라고 하고 질량수가 작은 두 개의 원자핵이 결합하여 질량수가 큰 하나의 원자핵이 되는 것을 핵융합이라고 한다. [고1 2021년 3월 26-30]

그런데 고정도르래만 사용할 때와 비교해, 움직도르래 1개를 사용하여 지상에서 같은 높이로 물체를 들어 올리면, 일의 양은 같지만 도르래 양쪽으로 물체의 무게가 반씩 분산되기 때문에 물체를 들어 올리는 힘의 크기는 1/2로 줄어들게 되고, 감아올린 줄의 길이는 2배로 길어진다. [고2 2021년 3월 24-27]

순편익은 한계편익과 한계비용이 같을 때 가장 커지는데, 한계편익은 어떤 선택에 의해 추가로 발생하는 편익이며 한계비용은 그 선택에 의해 추가로 발생하는 비용이다. [고2 2020년 9월 16-21]

리시트하임 모형은 베르니케 영역, 브로카 영역, 개념 중심부를 꼭짓점으로 하는 삼각형 모양으로, 베르니케 영역에서 개념 중심부로, 개념 중심부에서 브로카 영역으로는 일방향으로 정보가 이동하지만, 브로카 영역과 베르니케 영역 간에는 쌍방향으로 정보가 이동한다는 특징이 있다. [고1 2020년 3월 16-21]

우리나라는 식물 신품종에 대한 지식 재산권을 보호하고, 육성자의 식물 품종 개량을 촉진하며, 우리나라 종자 산업의 발전을 도모하기 위하여 '식물 신품종 보호법'을 실시하고 있다. [고2 2022년 6월 16-20]

하나의 '힘에의 의지'가 다른 '힘에의 의지'를 이겨도 또 다른 '힘에의 의지'가 수시로 나타나므로, 이것은 창조와 생산이 무한히 이루어지게 하는 의지이다. [고2 2023년 6월 21-25]

여기서 원가란 기업이 제품을 만들기 위해 재료를 구입하거나 서비스를 얻기 위해 소비된 경제적 가치를 화폐액으로 측정한 것으로, 기업의 입장에서는 원가가 항목별로 얼마나 소비되었는지를 알아야 기업을 경영하는 데 필요한 의사결정을 할 수 있다. [고1 2023년 11월 26-30]

예를 들어 행정 기관이 특정 사업에 대해 허가가 가능하다는 견해를 표명했으나 그 허가 조치에 법적 하자가 발견되었을 때 그 이유가 허가를 신청한 국민이 잘못된 정보를 제공했기 때문이라면 그 국민에게 귀책사유가 있는 것이다. [고2 2023년 11월 22-25]

하지만 반플라톤주의 철학자 들뢰즈는 플라톤이 원본의 성질을 재현한 정도에 따라 원본과 사본, 시뮬라크르로 위계적인 질서를 부여한다고 지적하며, 이러한 플라톤식 사유에는 주체가 이성을 통해 대상의 가치를 판단하고 재단하는 폭력성이 내재해 있다고 비판했다. [고2 2022년 11월 16-21]

보드리야르에 의하면 예술가가 전시장에 깃발, 청소기, 식탁 등과 같은 일상적 사물을 두고 예술을 논하는 등 모든 것이 미학적인 것이 될 때, 그 어떤 것도 더 이상 아름답거나 추하지 않게 되며, 동시에 예술은 자신의 한계를 넘어서 그 자체를 부정하고 청산한다. 즉, 예술 그 자체가 내파 되어 사라진 상태가 된다. [고2 2022년 11월 16-21]

이때 본안 소송을 담당하는 중재재판소의 관할권이 확정되지 않았더라도, 잠정조치가 요청된 국제해양법재판소에서 본안 소송의 관할권을 심리한 결과, 중재재판소가 관할권을 갖게 될 가능성이 예측되어야 국제해양법재판소는 잠정조치의 관할권을 가질 수 있다. [고2 2021년 11월 23-27]

이는 사건이 없었더라도 비교집단에서 일어난 변화와 같은 크기의 변화가 시행집단에서도 일어났을 것이라는 평행추세 가정에 근거해 사건의 효과를 평가한 것이다. [고3 2023학년도 6월 14-17]

그렇다고 해서 집단 간 표본의 통계적 유사성을 높이려고 사건 이전 시기의 시행집단을 비교집단으로 설정하는 것이 평행추세 가정의 충족을 보장하는 것은 아니다. [고3 2023학년도 6월 14-17]

통물과 통변이 정치의 세계에 드러나는 것이 인의(仁義)라고 파악한 그는 힘에 의한 권력 창출을 긍정하면서도 권력의 유지와 확장을 위한 왕도 정치를 제안하며 인의의 실현을 위해 유교념과 현실 정치의 결합을 시도하였다. [고3 2023학년도 6월 4-9]

그런데 가상의 결과는 관측할 수 없으므로 실제로는 사건을 경험한 표본들로 구성된 시행집단의 결과와, 사건을 경험하지 않은 표본들로 구성된 비교집단의 결과를 비교하여 사건의 효과를 평가한다. [고3 2023학년도 6월 14-17]

상이한 피해를 일으키는 두 범죄에 동일한 형벌을 적용한다면 더 무거운 죄에 대한 억지력이 상실되지 않겠는가. [고3 2022학년도 6월 10-13]

더욱 중요한 것을 지키기 위해 희생한 자유에는 무엇보다도 값진 생명이 포함될 수 없다고도 말한다. [고3 2022학년도 6월 10-13]

실시간 PCR에서 발색도는 증폭된 이중 가닥 표적 DNA의 양에 비례하며, 일정 수준의 발색도에 도달하는데 필요한 사이클은 표적 DNA의 초기 양에 따라 달라진다. [고3 2022학년도 6월 14-17]

미국이 경상 수지 적자를 허용하지 않아 국제 유동성 공급이 중단되면 "세계 경제는 크게 위축될 것"이라면서도 "반면 적자 상태가 지속돼 달러화가 과잉 공급되면 준비 자산으로서의 신뢰도가 저하되고 고정 환율 제도도 붕괴될 것"이라고 말했다. [2022학년도 수능 10-13]

이 장치에서 사용하는 광각 카메라는 큰 시야각을 갖고 있어 사각지대가 줄지만 빛이 렌즈를 지날 때 렌즈 고유의 곡률로 인해 영상이 중심부는 볼록하고 중심부에서 멀수록 더 휘어지는 현상, 즉 렌즈에 의한 상의 왜곡이 발생한다. [2022학년도 수능 14-17]

이때, 거시 건전성 정책은 미시 건전성이 거시 건전성을 담보할 수 있는 충분조건이 되지 못한다는 '구성의 오류'에 논리적 기반을 두고 있다. [고3 2020학년도 6월 27-31]

두 생명체가 서로 떨어져서 살 수 없더라도 각자의 개체성을 잃을 정도로 유기적 상호작용이 강하지 않다면 그 둘은 공생 관계에 있다고 보는데, 미토콘드리아와 진핵세포 간의 유기적 상호작용은 둘을 다른 개체로 볼 수 없을 만큼 매우 강하기 때문이다. [고3 2020학년도 6월 37-42]

표준 모형에서는 OECD 국가의 국채는 0%에서 150%까지, 회사채는 20%에서 150%까지 위험 가중치를 구분하여 신용도가 높을수록 신용 위험을 낮게 부과한다. [2020학년도 수능 37-42]

사료의 불완전성은 역사 연구의 범위를 제한하지만, 그 불완전성 때문에 역사학이 학문이 될 수 있으며 역사는 끝없이 다시 서술된다. [고3 2020학년도 9월 21-26]
 → 사료의 불완전성 = 역사 연구의 범위 제한 > 역사학이 학문이 될 수 있는 기반 > 역사가 끝없이 다시 서술될 수 있음

또한 이러한 이통기국론은, 성인과 일반인이 기질의 차이는 있지만 동일한 '이'를 갖기 때문에 일반인이라도 기질상의 병폐를 제거하고 탁한 기질을 정화하면 '이'의 선한 본성이 회복되어 성인의 경지에 이를 수 있다는 기질 변화론으로 이어진다. [고3 2018학년도 6월 16-21]

.

인터넷에 연결된 컴퓨터들이 서로를 식별하고 통신하기 위해서 각 컴퓨터들은 IP(인터넷 프로토콜)에 따라 만들어지는 고유 IP 주소를 가져야 한다. [고3 2018학년도 6월 30-34]

→ '컴퓨터들이 서로'와 '각 컴퓨터'를 연결짓고, 식별과 통신이 '고유 IP'와 관련된다는 사실을 눌러서 독해할 것.

그는 자연물이 단순히 목적을 갖는데 그치는 것이 아니라 목적을 실현할 능력도 타고나며, 그 목적은 방해받지 않는 한 반드시 실현될 것이고, 그 본성적 목적의 실현은 운동 주체에 항상 바람직한 결과를 가져온다고 믿는다. [2018학년도 수능 16-19]

줄은 이렇게 일과 열은 형태만 다를 뿐 서로 전환이 가능한 물리량이므로 등가성을 갖는다는 것을 입증하였으며, 열과 일이 상호 전환될 때 열과 일의 에너지를 합한 양은 일정하게 보존된다는 사실을 알아내었다. [고3 2017학년도 9월 31-34]

순서 : 순서 및 진행 방향에 대한 문장은 문제에서 순서를 바꾸어 출제되는 경우가 많기 때문에 선후 관계를 정리하고 넘어가는 것이 문제를 풀 때 도움이 된다.

1) 혈액 응고는 섬유소 단백질인 피브린이 모여 형성된 섬유소 그물이 혈소판이 응집된 혈소판 마개와 뭉쳐 혈병이라는 덩어리를 만드는 현상이다. [고3 2023학년도 6월 10-13]

　→ 피브린 모임 → 섬유소 그물 형성 → 혈소판 마개와 뭉침 → 혈병 만듦

2) 1970년대 초에 미국은 경상 수지 적자가 누적되기 시작하고 달러화가 과잉 공급되어 미국의 금 준비량이 급감했다. [2022학년도 수능 10-13]

　→ 미국) 경상 수지 적자 누적/달러화 과잉 공급 → 금 준비량 감소

이렇게 테트라포드를 맞물려 쌓으면 경사면에 굴곡이 생기는데 여기에 부딪힌 파도는 부서지고, 부서진 파도는 맞물린 테트라포드 사이의 틈새로 흐르게 되면서 방파제를 치는 파도의 에너지가 분산됩니다. [고1 2023년 11월 1-3]

배관을 이동한 냉매가 터빈의 내부 공간으로 유입될 때 냉매는 열에너지가 운동에너지로 전환되면서 부피가 급격히 팽창하며 회전 날개를 움직인다. [고1 2023년 11월 22-25]

회전 날개를 움직이며 기체 상태를 유지할 에너지를 상실한 냉매는 온도가 떨어져 액체와 기체가 혼합된 상태가 되어 배관을 통해 응축기로 이동한다. [고1 2023년 11월 22-25]

우선 전기적 중화 작용에서는 탁도가 높은 물에 주입된 응집제가 물과 화학 반응을 거쳐 양(+) 전하의 금속 화합물을 형성하고, 이 화합물이 음(-) 진하를 띤 콜로이드 입자와 결합하면 콜로이드 입자 간 전기적 반발력이 감소하게 된다. [고2 2022년 11월 22-25]

이 상태에서 여분의 응집제는 물과 화학 반응을 통해 최종적으로 침전성 금속 화합물을 형성하게 되고, 이 화합물은 마치 그물망처럼 콜로이드 입자들을 흡착하면서 가라앉는데 이를 체 거름 현상이라고 한다. [고2 2022년 11월 22-25]

164

패널에 전도성 물체와의 접촉이 없을 때 구동 라인에서는 전압에 의해 전기장이 형성되며, 이 전기장은 모두 감지 라인으로 들어가 일정한 크기의 전기장을 유지하여 구동 라인과 감지 라인 사이에 상호 정전용량을 형성한다. [고2 2021년 11월 8-10]

이때 휨전자석과 삽입장치를 통과하며 방사광을 방출한 전자는 에너지를 잃게 되고, 고주파 공동장치는 이러한 전자에 에너지를 보충하여 전자가 계속 궤도를 돌게 한다. [고1 2020년 11월 20-24]

원본 이미지를 일정한 크기의 여러 블록으로 나누고 블록별로 각 픽셀의 색상 값을 DCT 수식에 따라 변환하면 주파수 값 분포표를 얻을 수 있다. [고1 2023년 9월 34-38]

이때 워터마크 이미지의 픽셀의 색상 값을 주파수 값 형태로 삽입한 후 다시 역변환 수식에 따라 변환하면, 어느 주파수 값에 삽입하든 워터마크가 원본 이미지의 전 영역에 걸쳐 고르게 분산된 형태로 삽입된다. [고1 2023년 9월 34-38]

승모 세포가 연결된 대뇌의 후각 겉질에는 과거에 맡았던 냄새 정보가 저장되어 있어 새로운 냄새의 정보를 기존의 것과 비교하고, 냄새 정보를 편도체, 해마, 눈확이마 겉질 등 대뇌의 다른 영역으로 보낸다. [고2 2023년 9월 26-30]

접촉하고 있는 두 물질의 분자들 사이에서는 에너지 교환이 일어나는데, 물질의 한쪽 끝에 에너지가 가해지면 해당 부분의 분자들이 에너지를 얻어 진동하게 되고 그 진동은 옆 분자를 다시 진동시키며 순차적으로 에너지가 이동한다. [고1 2022년 9월 30-34]

데이터를 주고받을 때, 송신 측은 데이터별로 고유하게 부여된 순서 번호에 따라 순차적으로 데이터를 송신하고, 수신 측은 데이터의 순서 번호에 맞추어 송신 측에 응답 데이터를 보내준다. [고2 2022년 9월 28-32]

오류가 발생한 이후의 순번 데이터는 ACK를 보내지 않고 수신 윈도우에 저장한 다음, 재전송된 데이터가 도착하면 해당 데이터에 대한 ACK를 보낸 후, 수신 윈도우에 저장된 데이터와 함께 순서 번호를 맞추어 다음 단계로 전달한다. [고2 2022년 9월 28-32]

-극에 공급된 수소는 촉매 속 백금에 의해 수소 양이온($H+$)과 전자($e-$)로 분리되고, 수소 양이온은 고분자전해질막을 통과해 +극으로, 전자는 외부 회로를 통해 +극으로 이동한다. 이렇게 전자가 외부 회로로 흐르며 전기에너지가 발생하는데, 생성된 전기에너지는 모터로 전해져 동력원이 되고 일부는 배터리에 축전된다. [고1 2021년 9월 38-41]

CPU가 '태그 필드, 라인 필드, 워드 필드'로 이루어진 주소를 통해 데이터를 요청하면, 우선 요청 주소의 라인 필드를 이용하여 캐시 기억장치의 해당 라인을 확인한다. 그리고 해당 라인에 데이터가 저장되어 있으면 그 라인의 태그와 요청 주소의 태그를 비교한다. [고1 2020년 9월 32-36]

현실 요법은 우선 내담자가 자신의 욕구를 들여다볼 수 있도록 한 다음, 약한 욕구를 북돋아 주거나 강한 욕구들 사이에서 타협과 조절을 하여 새로운 선택을 하도록 이끄는 단계를 밟는다. [고1 2023년 6월 16-30]

이때 원심력 등이 작용해 중심의 물 입자들이 컵 가장자리로 쏠려 컵 중앙에 있는 물의 압력이 낮아지면서 가운데가 오목한 소용돌이가 만들어진다. [고1 2023년 6월 21-25]

혼합물을 함유한 공기를 원통부 가장자리를 따라 소용돌이를 만들어 시계 방향으로 흘려보내면, 혼합물은 원통부와 원추부 벽면에 충돌하여 떨어져 바닥에 쌓인다. [고1 2023년 6월 21-25]

빛이 편광판을 통과하면 그중 편광판의 투과축과 평행한 방향으로 진동하며 나아가는 선형편광만 남고, 투과축의 수직 방향으로 진동하는 빛은 차단된다. [고1 2023년 3월 38-42]

한편 송신 윈도우에 저장된 데이터의 관리는 일반적으로 데이터의 전송이 순서 번호를 기반으로 이루어지는 '슬라이딩 윈도우 프로토콜'에 의해 진행되는데, 이 프로토콜에서는 낮은 순서 번호부터 차례로 데이터 전송이 처리되며 ACK의 회신에 따라 윈도우에 새로 추가될 데이터의 순서 번호도 순차적으로 높은 번호로 이동한다. [고2 2022년 9월 28-32]

이럴 때는 입력된 음성 언어를 문자 언어로 변환한 다음, 통계 데이터를 활용하여 단어나 문장의 오류를 보정하는 자연어 처리 기술이 사용된다. [고2 2022년 3월 38-41]

섬모체에서 만들어진 방수는 안방을 채우고 섬유주라는 조직을 통해 배출된 후 슐렘관으로 흡수되어 심장으로 들어가 혈액에 합류된다. [고2 2022년 6월 38-42]

전두 연합 영역의 신경 세포가 '맛있다'와 같은 신호를 섭식 중추로 보내면, 거기에서 '오렉신'이라는 물질이 나온다. 오렉신은 위(胃)의 운동에 관련되는 신경 세포에 작용해서, 위(胃)의 내용물을 밀어내고 다시 새로운 음식이 들어갈 공간을 마련하는 것이다. [고1 2021년 6월 16-20]

즉, 귀로 들어온 청각 자극이 베르니케 영역으로 송부되면, 베르니케 영역은 자신이 저장하고 있는 단어 중 청각 자극과 일치하는 단어를 찾아 개념 중심부로 송부하고, 개념 중심부는 이를 받아 의미를 해석한다는 것이다. [고1 2020년 3월 16-21]

먼저 개념 중심부에서 말하고자 하는 의미를 형성하여 브로카 영역을 거쳐서 베르니케 영역으로 송부하면, 베르니케 영역은 이에 해당하는 단어를 찾아 브로카 영역으로 송부하고, 마지막으로 브로카 영역에서 이를 조합하여 문장이나 발화를 만든다는 것이다. [고1 2020년 3월 16-21]

하나의 뉴런에서 발생한 전기 신호는 뉴런 말단에 도달하여 신경전달물질을 분비하게 하고, 이러한 신경전달물질은 연접한 다른 뉴런에 존재하는 수용체에 화학 신호를 전달함으로써 연접한 뉴런 간에 신호를 전달하는 매개체의 역할을 한다. [고2 2020년 3월 33-37]

수지상세포는 인체에 침입한 외부 물질을 인지하고, 소장과 대장 주변에 분포한 림프절에서 미성숙T세포를 조력T 세포와 세포독성T세포로 분화시킨다. [고2 2020년 6월 26-30]

고체 촉매의 촉매 작용에서는 반응물이 먼저 활성 성분의 표면에 화학 흡착되고, 흡착된 반응물이 표면에서 반응하여 생성물로 변환된 후 생성물이 표면에서 탈착되는 과정을 거쳐 반응이 완결된다. [고3 2024학년도 6월 8-11]

수정 진동자를 특정 기체가 붙도록 처리하면, 여기에 특정 기체가 달라붙으며 질량 변화가 생겨 수정 진동자의 주파수는 감소한다. [고3 2024학년도 9월 8-11]

그는 과거제 대신 공거제를 통해 도덕적 능력이 뛰어난 자를 추천으로 선발하여 여러 단계의 교육을 한 후, 최소한의 학식을 확인하여 관료로 임명해야 한다고 제안했다. [고3 2024학년도 9월 12-17]

우선 여러 혈액 응고 인자들이 활성화된 이후 프로트롬빈이 활성화되어 트롬빈으로 전환되고, 트롬빈은 혈액에 녹아 있는 피브리노겐을 불용성인 피브린으로 바꾼다. [고3 2023학년도 6월 10-13]

이물질이 쌓여 동맥 내벽이 두꺼워지는 동맥 경화가 일어나면 그 부위에 혈전 침착, 혈류 감소 등이 일어나 혈관 질환이 발생하기도 한다. [고3 2023학년도 6월 10-13]

PCR 과정은 우선 열을 가해 이중 가닥의 DNA를 2개의 단일 가닥으로 분리하는 것으로 시작한다. 이후 각각의 단일 가닥 DNA에 프라이머가 결합하면, DNA 중합 효소에 의해 복제되어 2개의 이중 가닥 DNA가 생긴다. [고3 2022학년도 6월 14-17]

왜곡 보정이 끝나면 영상의 점들에 대응하는 3차원 실세계의 점들을 추정하여 이로부터 원근 효과가 제거된 영상을 얻는 시점 변환이 필요하다. [2022학년도 수능 14-17]

이때 OIS 기술이 작동되면 자이로 센서가 카메라의 움직임을 감지하여 방향과 속도를 제어 장치에 전달한다. 제어 장치가 렌즈를 이동시키면 피사체의 상이 유지되면서 영상이 안정된다. [고3 2021학년도 6월 25-28]

일반적으로 카메라는 렌즈를 통해 들어온 빛이 이미지 센서에 닿아 피사체의 상이 맺히고, 피사체의 한 점에 해당하는 위치인 화소마다 빛의 세기에 비례하여 발생한 전기 신호가 저장 매체에 영상으로 저장된다. [고3 2021학년도 6월 25-28]

시료 패드로 흡수된 시료는 결합 패드에서 복합체와 함께 반응막을 지나 여분의 시료가 흡수되는 흡수 패드로 이동한다. [고3 2019학년도 6월 35-38]

국가 간 자본 이동이 자유로운 상황에서, 시장 금리 하락은 투자의 기대 수익률 하락으로 이어져, 단기성 외국인 투자 자금이 해외로 빠져나가거나 신규 해외 투자 자금 유입을 위축시키는 결과를 초래한다. [2018학년도 수능 27-32]

학습 단계는 학습 데이터를 입력층의 입력 단자에 넣어 주고 출력층의 출력값을 구한 후, 이 출력값과 정답에 해당하는 값의 차이가 줄어들도록 가중치를 갱신하는 과정이다. [고3 2017학년도 6월 16-19]